TOM PETERS
ESSENTIALS
DESIGN

**Aus dem Amerikanischen
von Nikolas Bertheau**

A Dorling Kindersley Book
www.dk.com

Bibliografische Information der Deutschen Nationalbibliothek
Die Deutsche Nationalbibliothek verzeichnet diese Publikation
in der Deutschen Nationalbibliografie;
detaillierte bibliografische Informationen sind im Internet
über http://dnb.d-nb.de abrufbar.

Titel der englischen Originalausgabe:
Tom Peters Essentials: Design

ISBN 978-3-89749-799-3

Übersetzung: Nikolas Bertheau, Hamburg
Redaktion: Ute Flockenhaus, GABAL Verlag
Satz: Das Herstellungsbüro, Hamburg,
www.buch-herstellungsbuero.de

www.gabal-verlag.de

INHALT

EINFÜHRUNG

Re-imagine ... was wirklich zählt

Herbst 2003. Ich veröffentliche mein großes Buch ... *Spitzenleistungen in chaotischen Zeiten.* Es ist mein ambitioniertester
Versuch seit dem Erscheinen von *Auf der Suche nach Spitzenleistungen* im Jahr 1982, umfassend zu beschreiben ... was
Business ist. (Sein *kann.*) (Sein *muss.*)

Ein Jahr später, 2004. Während ich in Sachen Buchvorstel-
lung durch die Welt reise ... und meine üblichen Vortrags- und
Beratertermine wahrnehme ... vernehme ich einen anschwel-
lenden Trommelwirbel. Den Trommelwirbel der Bestürzung über
das Phänomen des »Outsourcings«. (Oder »Offshorings«.) Jobs
verschwinden. Nach Indien. Nach China. Nach ...

Irgendwo.

Was tun?

Wie ist ... diesem Gespenst ... eines massiven Jobschwunds
zu begegnen? Meine (Express-)Antwort: Jobschwund ist unver-
meidlich. Ob Outsourcing oder Automation (diese vor allem, langfristig) – kein Job ist auf Dauer sicher. Da bleibt uns nur, Wege zu
finden, wie wir uns und unsere Unternehmen in der Wertschöp-
fungskette nach oben befördern können ... mitten hinein in Herz
und Seele der New Economy.

Sommer 2005. Ich veröffentliche vier handliche Büchlein.
Der Reihentitel »Essentials« sagt es: Hier steht, was Sie wissen
müssen ... um in dieser übergeschnappten, rastlosen, outsour-
cinggeplagten, hyperrealen Zeit ... zu *handeln.*

New Economy, neuer Start, neue Story

Die Suppe dampft. Die Globalisierung wird wohl auf absehbar ein zweischneidig Ding bleiben – verführerisch in der Perspektive, aber chaotisch und steinig in ihren unmittelbaren Auswirkungen. Der technologische Wandel bricht in Wellen über uns herein – und macht uns kopflos. Die Vorstandsetagen spielen Skandaltheater. Mächtige Titanen (große Unternehmen und ihre CEOs) stürzen reihenweise von ihren Podesten.

Und doch ... es gibt sie, die New Economy.

Wollten Sie mit Ihrem Großvater tauschen? Wollten Sie täglich elf Stunden schuften ... in einem Stahlwerk oder in einer Autofabrik des Jahres 1935? Ich nicht. Ebenso wenig wollte ich mit meinem Vater tauschen ... der 41 gähnende Jahre in ein und derselben Firma hinter ein und denselben Mauern seinen Schreibtischfrondienst versah.

An der Arbeitsplatzfront ist die Revolution los. Kein normaler Mensch erwartet mehr, sein Dasein in nur einer einzigen Firma zu fristen. Manche sprechen vom »Ende der Unternehmensverantwortung«. Ich nenne es ... die Wiedergeburt der persönlichen Verantwortung. Eine willkommene Chance, das Leben selbst in die Hand zu nehmen.

Gebt mir Verantwortung! Ernennt mich zum Chairman, CEO, Präsidenten und COO von Tom Inc.

Das ist es, worum ich bitte!

(Bettele.)

Ich bin ein Business-*Fan*.

Solange Business Wachstum fördert, den Kunden Gutes bringt und den Beschäftigten spannende Chancen verschafft. Erst recht heute, wo alles im Fluss ist. In diesem geradezu magischen, wenn auch in vielerlei Hinsicht bedrohlichen Moment.

Ich bin nicht Pollyanna. Ich habe meinen Teil gesehen. (Und nicht zu wenig davon.) Meine rosa Brillengläser hat die brutale Wirklichkeit längst zerschunden und zermahlen.

Dennoch bin ich zuversichtlich. Nicht, dass der Mensch dereinst ein besserer sein wird ... dass das Böse verschwindet ... oder dass sich die Habgier aus der Welt regulieren lässt. Aber ich bin zuversichtlich, dass die Menschen erkennen werden, wie viel Kraft ihnen zufließt, wenn sie ihr berufliches Leben selbst in die Hand nehmen. Und dass sie auf den Geschmack kommen werden, von ihrer instinktiven Neugier und Kreativität freien Gebrauch zu machen.

Die schlechte Nachricht: Wir haben keine Wahl. Der Mikroprozessor reißt alle Routinetätigkeiten an sich. Wir müssen uns schleunigst neu erfinden – wie schon damals, als wir von den Äckern in die Fabriken zogen, oder später, als wir aus den Fabriken in die Bürotürme gespült wurden.

Die gute Nachricht (wenn Sie mich fragen): Wir haben keine Wahl. Dem neu erfundenen Ich bleibt nichts anderes übrig, als sich anzustrengen und in der einen oder anderen Weise zur allgemeinen Wertschöpfung beizutragen.

Die Hintergrundstory: Schneisen der Z(V)erstörung

Jeder Band dieser Reihe handelt von einer zentralen These – es sind dieselben Thesen, die in den Anfangskapiteln von *Re-imagine* vorgestellt werden. Hier also die Executive Summary dieser Ideen:

1. Alles ist offen. Die wichtigste und verantwortungsvollste Aufgabe unserer Zeit ist es, unsere Unternehmen und Institutionen, ob öffentlich oder privat, neu zu erfinden. Starke Worte. Aber ich glaube daran. Die Wucht der Veränderungen erwischt uns kalt. Sämtliche Aspekte unseres institutionellen Lebens gehören auf den Prüfstand. Gnadenlos.

2. Wir befinden uns in einem ... Wettkampf ohne Regeln. Business, Politik ... sämtliche Formen des menschlichen Austauschs lösen sich auf. Wir müssen improvisieren. (Erfolg = SAV = »Stümpern auf Volldampf«.) (»Scheitern. Vorwärts. Schnell.«) Wir sind herzlich – schmerzlich – schlecht auf diesen Wettkampf ohne Regeln vorbereitet. Neue Akteure, von Al Kaida bis WalMart, lehren die herrschenden Institutionen und ihre Häuptlinge das Fürchten.

3. Bessermachen ist *out*. Zerstörung ist *in*. »Kontinuierliche Verbesserung«, das Managementmantra der Achtzigerjahre, ist heute tödlich. Alles oder nichts (»Str-Alt-Del«.) Wir müssen unseren Unternehmen die Gedärme ausreißen, bevor die Konkurrenz es für uns – mit uns – tut.

4. IT verändert alles. Die komplette Umstellung sämtlicher Wirtschaftsaktivitäten auf E-Business-Lösungen hat absoluten

Vorrang. Die neuen Technologien sind ... das A und O. Die IT-Revolution steckt in den Kinderschuhen. Und hat bereits die Regeln verändert – so gründlich, dass Jahre und abermals Jahre vergehen werden, bis an die Formulierung eines neuen Regelkanons zu denken ist.

5. Neunzig Prozent aller Bürojobs herkömmlicher Art (wie überhaupt 90 Prozent aller herkömmlichen Jobs) werden in den nächsten 15 Jahren verschwinden. Schluss. Aus. Gestern. Mikroprozessoren, Datenautobahnen und Backoffices in Übersee machen den klassischen Bürojobs in den Industrienationen den Garaus. Zeithorizont? Null bis 15 oder 20 Jahre. Sicher? Amen.

6. »Siegen« (überleben!) kann nur, wer sich zum Chef seiner eigenen Ich-AG macht. Mit der Kuschelwärme der Unternehmen ist es vorbei. Jobsicherheit im herkömmlichen Sinne gibt es nicht mehr. Ergo: Befreit die Büroslaven! Die einzige Verteidigung ist der Angriff! Abgedroschen? Mag sein. Aber nichtsdestoweniger wahr. Ein gespenstisches ... und zugleich absolut aufregendes und anregendes ... neues Zeitalter der Selbstständigkeit bricht über uns herein. Hurra!

Zeit für Geschichten – in einer Zeit voller Geschichten

Jeder Band erzählt auf der Grundlage dieser These eine Geschichte – die Saga unseres Überlebens (und mehr) in diesen chaotischen Zeiten.

Eine Geschichte über *Leadership*. Befehl und Kontrolle ... »Führung« von oben ... ist *out*. Heute braucht Führung neue Eigenschaften – ihre Markenzeichen sind Improvisation und Inspiration. Gefragt sind die einzigartigen Führungsqualitäten von Frauen. Außergewöhnliches Führungstalent gedeiht in einem außergewöhnlichen Arbeitsumfeld.

Eine Geschichte über *Design*. Mehrwert ist heute weniger eine Frage der Produkt- und Servicequalität, als vielmehr bestimmter Extras. Extras namens »Erlebnis«. Extras namens »Marke«. Extras namens »Design«.

Eine Geschichte über *Talent*. Wir leben in einer Marke-Ich-Welt. »Arbeitsplatz auf Lebenszeit« hinter ein und denselben Mauern (auch: »Büroslaventum«) ist *out*. Lebenslange Selbst-Neuerfindung ist *in*. Die einzig wirksame Arbeitsplatzgarantie ist ... unser Talent. Und Talent beweisen wir, indem wir uns ein glitzerndes Portfolio von WOW-Projekten zulegen und uns in schrägem Denken üben (wie es diese verrückten schrägen Zeiten erfordern).

Eine Geschichte über *Trends*. Wo finden sich inmitten all des chaotischen Wandels die großen Marktchancen? Sie liegen auf der Straße. Bei den Käufern mit dem vielen Geld – den Frauen und Senioren.

Re: Re-imagine!

Diesen Geschichten liegen jeweils bestimmte *Re-imagine!*-Kapitel zugrunde. Sie wurden teilweise gekürzt, verändert und mit zusätzlichem Material angereichert.

Die grafische Gestaltung der Bücher haben wir noch einmal völlig neu erfunden. Mit *Re-imagine!* setzten wir neue Maßstäbe. Wir wollten eine Welt der Unternehmen beschreiben, in der es von revolutionären Chancen nur so wimmelt, und schufen ein Buch voller Leidenschaft, Energie und Farbe. Für die vorliegende Reihe haben wir diese Eigenschaften beibehalten, zugleich jedoch das Design auf das Wesentliche reduziert. Dieselbe Leidenschaft. Dieselbe Energie. Dieselbe Farbe. Alles in einem Format, das gut in der Hand liegt ... und (so glauben wir) auf Ihre essenziellen Bedürfnisse zugeschnitten ist.

Zwei neue Merkmale gliedern und ergänzen die Geschichten.

Erstens haben wir jedem Kapitel eine Zehn-Punkte-Liste vorangestellt – eine Kurzzusammenfassung in Form von Handlungsvorschlägen, die Sie unmittelbar ... jetzt sofort ... umsetzen können. Auch hier haben wir uns auf Essenzielles beschränkt.

Zweitens haben wir zwischen einzelnen Kapiteln Zitate aus Interviews mit »coolen Freunden« eingefügt, denen ich so manche kluge Anregung verdanke. Ihre Stimmen verleihen den Geschichten zusätzlich Struktur. Vollversionen dieser und anderer Interviews finden Sie auf meiner Website (www.tompeters.com).

Letzte Worte …

Ich erwarte nicht, dass Sie alles, was ich sage, abnicken. Ich hoffe aber, dass Ihr Widerspruch leidenschaftlich sein wird. Dass Sie so wütend sein werden, dass Sie … etwas tun.

ETWAS TUN. Das ist der Punkt. Oder etwa nicht? (Mitleid mit dem armen Braun.) (Es lebe Technicolor.) Die Pointe meiner Story … zum Warum dieses Buches … ist ein Grabstein. (Pointe, Grabstein – eine etwas ungewöhnliche Zusammenstellung; aber mit 60 schwirren einem schon mal solche Gedanken durch den Kopf.) Ein Grabstein mit dem Spruch, den ich mir am wenigsten wünschen würde:

> **Thomas J. Peters**
> 1942 – wann auch immer
> **Er hätte wohl einige echt coole Dinge getan,**
> **wenn ihn sein Chef gelassen hätte**

Herr im Himmel, erspare mir so etwas! Wie die Inschrift auf meinem Grabstein lauten soll, weiß ich übrigens genau:

> **Thomas J. Peters**
> 1942 – wann auch immer
> **Er war ein Spieler**

Nicht: »Er wurde reich.« Nicht: »Er wurde berühmt.« Auch nicht: »Er machte alles gut und richtig.« Sondern: »Er war ein Spieler.« Mit anderen Worten: Er saß nicht da und sah die Welt vorüberziehen … während diese den größten Wandel ihrer Grundparadigmen seit mehreren Hundert (wenn nicht gar tausend) Jahren erlebte. Widersprechen Sie mir, wo Sie wollen, aber in diesem Punkt werden Sie mir zustimmen, sofern Sie auch nur über ein Körnchen Ehrlichkeit, Mut und Leidenschaft verfügen: Die Zuschauerbank ist tabu. Sie haben keine andere Wahl als … mitzuspielen.

1

DESIGN: DIE »SEELE« DES GESCHÄFTS

!

Kontraste

Früher	Heute
Designunbedarfte Abteilung	Designorientierte PSF
Design als Kostenfaktor	Design als Wertfaktor
Design als nachträgliches Verschönerungsinstrument	Design als Herz und Seele einer Traumlösung
Designer verrichten ihre Arbeit in peripheren Abteilungen	Designer haben Einfluss auf die Unternehmensführung
Design wird ausgelagert	Design ist zentraler Teil des Unternehmens (Designbewusstsein ist allgegenwärtig)
Öde Unternehmenszentrale (Nur ein Arbeitsplatz: Sie verlassen ihn so bald wie möglich)	Coole Unternehmenszentrale (Ein kreativer Ort: Sie kommen früh und bleiben bis spät)
Langweilig, »geschäftsmäßig«	Aufregend, »WOW-mäßig«
Brooks Brothers	Armani
Stirnrunzeln	Schmunzeln
Mitarbeiter von den »besten Schulen«	Mitarbeiter von den »interessantesten Schulen«

!Tirade

Wir sind nicht vorbereitet ...

Wir betrachten »Design«, wenn überhaupt, als eine Art »Patina«, eine unwesentliche Zutat. • Aber wir müssen erkennen, dass **DESIGN DER SITZ DER SEELE IST ...** wenn wir Lösungen, Erlebnisse und Traumerfüllungen anbieten wollen. (Und das müssen wir alle, vom kleinen Mitarbeiter bis zum CEO.)

Wir betrachten Design als »letzten Arbeitsschritt«. • **ABER WIR MÜSSEN BEGREIFEN, DASS DESIGN ZUM RÜCKGRAT DER GESAMTEN UNTERNEHMENSSTRATEGIE WERDEN KANN,** wie beispielsweise bei Sony oder Nokia.

Wir betrachten Designer, wenn überhaupt, als seltsame Vögel, die ihren Platz weit weg vom »Stabsquartier« haben. • Stattdessen müssen **WIR SIE EINLADEN**, wie Dieter Rams bei Braun am **VORSTANDSTISCH** unmittelbar neben dem CEO Platz zu nehmen.

!Vision

Ich stelle mir vor ...

Eine Finanzabteilung (mit anderen Worten: eine PSF!) ... **mit einem Musiker, einer Dichterin, einem Maler, einer Schauspielerin und einem Anthropologen.** (Und einigen Zahlenfreaks.) • Diese »Abteilung« steht für **GENAUIGKEIT UND VERLÄSSLICHKEIT.** Aber sie ist zudem ein ... schillernder Geschäftspartner. **Ihre Mitglieder sind keine Schlafmützen.** • Sie verstecken sich nicht hinter obskuren Zahlen und Excel-Präsentationen. • **SIE SIND AUFREGEND. IHRE IDEEN SIND AUFREGEND.** • Ihre Präsentationen sind **aufregend.** Und klar. Und schön. • **DENN DIESE »FINANZEXPERTEN« SIND DESIGNBESESSEN.**

Design ist »Seele«.

Design und Seele

Ich – und nicht die griechischen Philosophen – habe den »Sitz der Seele« entdeckt.

Zumindest in Bezug auf Unternehmen.

Und es ist … gutes Design.

Zeugt diese meine Aussage von Arroganz?

Ja.

Na und?

Immerhin habe ich Steve Jobs auf meiner Seite. »Im Wortschatz der meisten Menschen bedeutet Design so viel wie Furnier«, sagt Jobs, das Genie hinter Apple, Next, Pixar … und wieder Apple. »Nichts könnte unzutreffender sein. Design ist die fundamentale Seele aller von Menschen geschaffenen Dinge.«

Nur wenige begreifen dies. Die meisten Menschen sehen in Design eine Sache der Oberfläche, der »Verschönerung«, eine nachträgliche kosmetische Retusche. Aber in Apple-Land, Sony-Land und Nokia-Land ist das Gegenteil der Fall.

Design ist »Seele«.

Design steht an erster Stelle.

Die Regeln des Designs definieren das Unternehmen und sein fundamentales Wertversprechen.

Als einziger »Managementguru« schreibe ich ausführlich über Design.

Warum?

ES MACHT MICH AN.

(Richtiger Ausdruck.)

Design, das antörnt: Gespanntes Segeln

Ich wuchs am Wasser auf. Sullivan's Cove am Severn River nahe Annapolis, Maryland.

Flüsse sind in meinem Blut. (Und in meiner Seele.)

Ich komme gerade von einer Reise zurück. Mein Rücken schmerzt. (Tut er immer.) Aber mein Koffer ist drei Pfund schwerer, als er sein müsste.

Design

Die »Seele« des Geschäfts

GIPFELPFAD
Design – ein grundsätzliches Designbewusstsein (nicht nachträgliche »Verschönerung«!) – ist der Mount Everest des »intellektuellen Kapitals«.

Design stellt – ebenso wie Musik oder Kunst – den Gipfel menschlicher Errungenschaften dar. Voraussetzung ist, dass wir uns auf die jeweilige Aufgabe voll konzentrieren.

Warum?

Wegen des Spann-
schlosses, das ich mit mir herumtrage. Ich erwarb es bei Fawcett's, der
besten Adresse für Segelbedarf in Annapolis.
(Als ich ein Kind war. Und noch heute.)

Ein Spannschloss dient zum Spannen der
Wanten. Es ist 20 Zentimeter lang, verchromt und kostet 60
Dollar. Außerdem ist es schön. (Siehe die Abbildung oben.)

Zeit für Bekenntnisse: *Ich streichle es, während ich schreibe.*

Design, das abtörnt: Hotelhölle

Ich übernachte an rund 200 Tagen im Jahr auswärts. Das ist
extrem. Aber von Ihnen bringen es sicher auch viele auf 100
auswärtige Übernachtungen. Üblicherweise beziehen wir unsere
Hotelzimmer, seufzen zweimal, stöpseln unsere Geräte ein und
beginnen mit unserem »zweiten Arbeitstag«.

Tatsache ist: Ich komme in mein Zimmer, öffne meinen Rol-
lenkoffer, hole meinen Kabelsalat heraus, krieche auf dem Fuß-
boden herum, stöpsele Strom- und Telefonkabel in die Wand und
VERBRINGE VIER BIS SECHS DER NÄCHSTEN ZEHN STUN-
DEN ONLINE ODER ARBEITE AN DEN POWERPOINT-FOLIEN
FÜR DEN NÄCHSTEN TAG. Das Problem: *Nur eines von 10 oder
15 Hotels »weiß, worauf es ankommt«.*

Damit meine ich nicht etwa DSL.

Ich meine MSR:

Meinen Schmerzenden Rücken.

ICH BIN ES LEID. (GRÜNDLICH.) Ich bin es leid, wunder-
bare Sofas und Schränke vorzufinden, die ich nie benutze, ABER
KEINEN ANSTÄNDIGEN TISCH UND KEINEN STUHL, AUF DEM
ICH SITZEN KANN, OHNE MIR DAS KREUZ ZU RUINIEREN.

(VERDAMMT NOCH MAL.)

Botschaft an die »Hotelgestalter«: *IHR HOTELZIMMER IST
MEIN »BÜRO«.* (Mehr sogar als mein »offizielles« Büro.) BITTE

RESPEKTIEREN SIE DIESE TATSACHE! BITTE RESPEKTIEREN SIE MEINEN SCHMERZENDEN RÜCKEN! (Dann werde ich auch Ihr treuer und ergebener Kunde sein.)

DESIGN ODER NICHT SEIN

Hotels sind die Leithammel in Sachen Design. Und manche unter ihnen haben mittlerweile die Zeichen der Zeit erkannt. Virginia Postrel schreibt in ihrem Buch The Substance of Style – How the Rise of Aesthetic Value Is Remaking Commerce, Culture, and Consciousness *aus dem Jahr 2003: »Mit ihrer Strategie, sich mittels Design auf dem Markt zu positionieren, treibt die Kette Starwood Hotels & Resorts [W Hotels, Sheraton, Westin] das Prinzip des unverwechselbaren Boutiquehotels auf die Spitze.«*

Erklär mir ... Design – eine Offenbarung in PowerPoint

Definieren, was »Design« ist: Nicht einfach. Und umso wichtiger.

Ende 2002 sollte ich den Hauptvortrag für eine größere Designkonferenz halten. Ich verbrachte eine Ewigkeit mit den Vorbereitungen. Aber am späten Vorabend war ich immer noch nicht zufrieden. Ich hatte jahrelang am Thema Design gearbeitet. Und noch immer hatte ich keine schlüssige Erklärung, warum mir das Thema so unter die Haut ging.

Um fünf Uhr morgens stand ich auf und erstellte ein paar simple Zeilen für eine PowerPoint-Folie. Und ich sagte (laut) zu mir selbst: »Ach so.« Und das war das Ergebnis:

1. *Design »ist«, was meine Liebe weckt. L-I-E-B-E.*

Bei Design geht es nicht um »Mögen« oder »Nichtmögen«. Sondern um Leidenschaft, Gefühl und Verbundenheit.

Designer, habe ich entdeckt, bringen zu Designkonferenzen stets ihr Lieblingsspielzeug mit. Ich selbst konnte mich lange nicht entscheiden. Am

Ende reichte ein Blick in den Koffer. Darin lagen gleich mehrere Packungen: Ziploc-Gefrierbeutel.

Wiederverschließbare Plastiktüten: Ohne sie könnte ich nicht leben. Stellte man ihre Produktion eines Tages ein, würde ich mir vermutlich das letzte Exemplar über den Kopf ziehen und mich verabschieden. »Nur« eine »Plastiktüte«. Aber nein! Millionen Verwendungsmöglichkeiten.

Brillant.

Spektakuläres Design.

2. *Design ist, was mich WILD macht.*

Design weckt meine Begeisterung. (Oder meinen Zorn.)

Wie ich schon sagte, verbringe ich vermutlich im Jahresschnitt 200 Nächte in Hotels. Und ich bin nicht mehr so jung wie einst. Ich trage seit über 20 Jahren eine Brille. (Mittlerweile Trifokalgläser.) Aber ich trage sie nicht im Badezimmer. (Wer tut das schon?) Nichts regt mich folglich so auf wie Shampooflaschen, auf denen das »Shampoo« so klein geschrieben steht, dass ich es nicht lesen kann.

Ich finde das Erlebnis/Problem nicht nur »unangenehm«. *Es macht mich schlicht und einfach stinksauer.*

3. *Hypothese: DESIGN IST DER ENTSCHEIDENDE UNTER-SCHIED ZWISCHEN LIEBE UND HASS!*

Um zu dieser Aussage zu kommen, brauchte ich nicht weniger als zehn Jahre. Sie ist ziemlich plakativ. Aber sie war, denke ich, die zehn Jahre wert. Denn sie bringt meine Überzeugung genauestens zum Ausdruck.

Hier geht es nicht um »so irgendwie«.

STARKE GEFÜHLE
Einer im *Journal of Advertising Research* veröffentlichten Studie zufolge spielen Gefühle für die Kaufentscheidungen der Menschen eine doppelt so große Rolle wie »Fakten«.

Im Rahmen der Studie wurden 23 000 US-Bürgern 240 Werbebotschaften aus 13 Produktkategorien vorgesetzt (und in allen Kategorien spielten die Gefühle die wichtigere Rolle).

Design ist, was meine Liebe weckt.

Ich begann meine Präsentation auf dieser sensationellen Designkonferenz schließlich so:

»*Ich bin ein Designfanatiker. Auch wenn ich kein ›Künstler‹ bin, liebe ich ›coole‹ Dinge. Das geht weit über das Persönliche hinaus. Design ist zu einer BERUFLICHEN OBSESSION GEWORDEN. ICH BIN ÜBERZEUGT, DASS DESIGN DER HAUPTGRUND FÜR JEDE ART VON EMOTIONALER BINDUNG (ODER ABNEIGUNG) HINSICHTLICH EINES PRODUKTES, EINER DIENSTLEISTUNG ODER EINES ERLEBNISSES IST. Design ist meiner Meinung nach der wichtigste Faktor, wenn es darum geht, ob sich ein Produkt, eine Dienstleistung oder ein Erlebnis von anderen abhebt. Und nur wenige Unternehmen beherzigen dies in ausreichendem Maße.*«

»ERLEBNIS«-VORGESCHMACK

Ein Wort zu diesem Wort: »Erlebnis«. Für mich umfasst »Design«, wie ich später darlegen werde, nicht nur die eigentlichen Produkte ... sondern das gesamte Wertversprechen eines Unternehmens. Mit anderen Worten: jeden materiellen oder ideellen Aspekt des vom Unternehmen bereitgestellten Erlebnisses. Mehr dazu in Kapitel 3: »Design in Aktion: das unvergessliche Erlebnis«.

Ich wünschte, ich könnte Sie für mein Abenteuer begeistern. Mein Abenteuer der »Liebe« und des »Hasses«. Meine Schlussfolgerung: Design ist das Herz (die SEELE) des ... neuen Wertversprechens.

Designmythen I: Was FedEx weiß und Sie möglicherweise nicht

Beim Stichwort »Design« denken die meisten Menschen an Ferrari. Rolex. Vielleicht noch an den iMac. Mit anderen Worten: an Gegenstände und keine (reinen?) Dienstleistungen.

Unsinn.

BESTE LAGE
Apropos Liebe ...
Ich bin ein Fan des *Heavenly*-Betts von Westin.
Was tun Sie in einem Hotelzimmer? Sie haben einen langen Tag hinter sich. Sind geschafft. Sie kommen ins Zimmer.

Schauen nach Ihren E-Mails und bereiten Ihre nächste Präsentation vor. Sie legen sich schlafen. Stehen auf. Beginnen den nächsten langen Tag. Die Schlafenszeit bildet zusammen mit der Bürotätigkeit den Kern. Und

ich glaube nicht, dass der Mensch diese Zeit unter Polyester verbringen will.
Aber diese Westin-Betten? Fabelhaft!
Westin weiß, worum es geht!
Und nutzt das aus!
Wunderbare Betten!

DESIGN

hat ebenso mit

Dienst-
leistungen

wie mit

Gegen-
ständen

zu tun.

Wir alle (A-L-L-E) sind Designer

Die Zeitschrift *I.D.* [International Design] veröffentlichte im Jahr 1999 ihre erste und bislang einzige Liste von 40 US-amerikanischen Unternehmen mit dem besten »Produktdesign«. Selbstverständlich war Apple dabei.

Außerdem Caterpillar, Gillette, IBM. New Balance. Patagonia. 3M.

Interessanter fand ich, dass die Hälfte der Unternehmen *Dienstleister* waren.

Amazon war auf der Liste. Ebenso: Bloomberg. FedEx. CNN. Disney. Martha Stewart. Nickelodeon. Die New York Yankees. Die Kirche Jesu Christi der Heiligen der letzten Tage.

Botschaft: Design hat ebenso mit Dienstleistungen wie mit Gegenständen zu tun.

Was mich auf Sie und mich bringt. Design betrifft die Einkaufsabteilung. Die Schulungsabteilung. Die Finanzabteilung.

Die Präsentation eines Finanzberichts ist ebenso eine Frage des Designs wie die Gestaltung eines attraktiven Produkts für John Deere.

(Vor langer Zeit machte Deere »cool« zu einem Synonym für »landwirtschaftliches Gerät«. Und die Anteilseigner wissen dies zu schätzen.)

Große (G-R-O-S-S-E) Botschaft: *Wir alle (A-L-L-E) sind Designer.* Jeder von uns gibt jeden Tag Dutzende – vermutlich Hunderte, vielleicht mehr – »Designtipps« ab. Allein dadurch, wie wir uns selbst und unsere Projekte präsentieren.

Also: Design ist nicht auf Gegenstände beschränkt. Design ist nicht allein die Domäne der Produktentwicklungs- oder Marketingabteilung.

Designmythen II: Was Target weiß und Sie möglicherweise nicht

Noch einmal Ferrari. Rolex. Oder iMac. Das sind die Ikonen des Designs, nicht wahr? Und es handelt sich nicht nur um Objekte, sondern um teure Objekte.

Aber Design ist nicht auf 79 000-Dollar-Objekte beschränkt. Nicht einmal auf schnöde 1000-Dollar-Computer.

Wenn es dafür eines Beweises bedurfte, dann bietet ihn der unaufhaltsame Aufstieg des WalMart-Rivalen Target.

Time Magazine nannte Target den »Vorreiter der neuen amerikanischen Designdemokratie«. *Advertising Age* sprach Target im Jahr 2000 den begehrten Titel »Marketer des Jahres« zu.

Ich liebe Target. Und die Tatsache, dass Target die eigene Strategie nicht im Mindesten verändert hat. Target war und ist ein Discounter. Target plant, von jetzt bis in alle Ewigkeit Discounter zu bleiben. Dennoch legt Target Wert auf ausgefallenes Design und beweist damit, dass »Discounter« nicht automatisch »schäbige Billigware« bedeuten muss.

Auch Gillette führt vor, dass sich gutes Design auf erschwingliche/»gewöhnliche« Produkte anwenden lässt.

> ## GELD ODER ... DESIGN
>
> *Ich konnte mich nicht beherrschen. Gegenüber den Chefvermarktern eines großen Einzelhandelsdiscounters ließ ich meinen Zorn raus: »Target hat es vorgemacht. Was hält Sie zurück? Sie haben eine unglaubliche Einkaufsmacht. Verlangen Sie von Ihren Lieferanten klipp und klar, dass alle Produkte, ob einfach oder exklusiv, ein ästhetischer Genuss sind. Warum in Sachen Ästhetik weniger anspruchsvoll sein als in Sachen Preis?«*
>
> *Warum? (Verdammt noch mal!)*

Beispiel Sensor. Für Frauen definierte diese Klinge die Enthaarung mit dem Nassrasierer neu. Und als wir dachten, für Männer sei das letzte Wort gesprochen, erwies sich die Mach3-Klinge als *sehr* speziell und *sehr* anders – und nicht umsonst kostete

Design

Die »Seele« des Geschäfts

FÜRSTLICHE BÜRSTEN

Virginia Postrel schreibt in *The Substance of Style:* »Aus dem gewöhnlichsten Haushaltsutensil ist ein fantasievoller, eleganter, farblich und haptisch ambitioniert gestalteter Gegenstand geworden. Dutzende, wenn nicht gar Hunderte unterschiedlicher Klobürsten stehen zur Auswahl – von funktionell über schreiend und modern bis zu traditionell. Für rund fünf Dollar gibt es das Basismodell aus Kunststoff von Rubbermaid, der Standbecher wahlweise in sieben verschiedenen Farben. Für acht Dollar bekommen wir eine Michael-Graves-Bürste von Target mit rundem blauem Griff und matt durchscheinendem weißem Standbecher. 14 Dollar kostet die moderne schlanke OXO-Bürste in einer weißen Kunststoffhalterung, die sich so sachte öffnet wie die Munitionsklappe eines Science-Fiction-Raumschiffs. Für 32 Dollar erhalten wir eine Excalibur-Bürste von Philippe Starck, deren an einen Säbel erinnernder Griff zugleich den Deckel für den Standbecher liefert. ... Für 55 Dollar ist Stefano Giovannonis Merdolino-Bürste zu haben, die er für Alessi gestaltet hat ...«

Ob Sie's glauben oder nicht, die Liste geht noch weiter ... bis jenseits der 100-Dollar-Marke!

ihre Entwicklung Gillette eine Dreiviertelmilliarde Dollar. (Ich habe nicht gesagt, dass Design … Freeware ist.)

Die Oral-B-CrossAction-Zahnbürste von Gillette ist ebenfalls ein Beispiel gelungenen Designs. Sie hat die Praxis des Zähneputzens verändert. Ihre Entwicklung kostete 70 Millionen Dollar.

Interessant: Gillette erwarb für diese »simple« Zahnbürste 23 Patente – sechs davon nur für die Verpackung. (Derlei passiert, wenn man Design als strategisches Identitätsmerkmal ernst nimmt.)

Design. Betrifft Dienstleistungen ebenso wie Objekte. Personal- und IT-Abteilung ebenso wie die Produktentwicklung. Und 0,79-Dollar-Artikel ebenso wie 79 000-Dollar-Artikel. Das sind die Leitvorstellungen, mit denen ich mich dieser großen Idee nähere.

VERFÜHRUNG VERPACKUNG

Listerine ist nur ein Beispiel in einer langen Reihe von strategischen Neuverpackungen. Im Jahr 1870 dienten Haferflocken als Nahrung für »Pferde und ein paar verstreute Schotten«.

Nur zwanzig Jahre später galten Haferflocken als »nahrhafter Leckerbissen für Feinschmecker, Kranke und Kinder«. Das Geheimnis dieser plötzlichen Verwandlung? Eine Dose. Die runde und immer noch gebräuchliche Quaker-Oats-Pappdose.

So zumindest schildert Thomas Hine die Geschichte in seinem Buch The Total Package. *»Verpackungen«, schreibt er, »haben eine Persönlichkeit. Sie erwecken Vertrauen und Sicherheit. Sie regen die Fantasie an.« Und die Idee ist nicht auf Waren beschränkt, sondern gilt auch für Erlebnisse. Fast-Food- und Hotelketten ähneln nicht nur Verpackungen, sie sind Verpackungen. Verpackte Erlebnisse. Hine zitiert Studien, die zeigen, dass Supermarktkunden in den 1800 Sekunden, die sie durchschnittlich in einem Geschäft verbringen, 30 000 Artikel wahrnehmen.*

Übersetzung: Die Designer haben 0,06 Sekunden (!!), um beim Kunden einen bleibenden Eindruck zu hinterlassen.

Designerinnen

Und jetzt eine äußerst kontroverse Aussage:

Männer *können* nicht für die Bedürfnisse von *Frauen* designen! (Schluck.)

Das gab vielleicht einen Aufstand auf jener Designkonferenz, auf der ich vor Kurzem einen Vortrag hielt!

Eine befreundete Architektin erzählte mir von einer Freundin, die nach einer vergleichsweise hochpreisigen Immobilie Ausschau hielt. Einmal besichtigte sie an einem Tag ein halbes Dutzend Häuser. Nur eines hatte eine Waschküche im ersten Stock, wo sich die Kinderzimmer befanden. Und raten Sie mal! Diese Anomalität befand sich in dem einzigen Haus, das von einer Frau entworfen worden war.

Tatsache: Kein Mann käme jemals auf den Gedanken, die Waschküche in den ersten Stock neben die Kinderzimmer zu legen.

Ist die »Waschküche im ersten Stock« nun so weltbewegend? Natürlich nicht. Aber bezeichnend. Denn wenn es um Design für Frauen geht – ob in einfachen oder komplizierten Dingen, in der Wohnhausgestaltung oder im Finanzdienstleistungsbereich –, sind Männer einfach ungeeignet. Männer können mit Frauenproblemen – in den (aller-)meisten Fällen – nicht umgehen.

STAR(C)KER TOBAK

»Die Macho-Perspektive kann interessant sein«, schreibt Designer Philippe Starck im Harvard Design Magazine, *»wenn Sie sich gegen einen Dinosaurier wehren wollen. Aber um heute zu überleben, benötigen wir Intelligenz statt Kraft und Aggression. Moderne Intelligenz bedeutet Intuition – eine Domäne der Frauen.«*

Design

!

Die »Seele« des Geschäfts

Designstimmen

Über Design zu schreiben, ist verdammt schwer, wie ich in den letzten zehn Jahren festgestellt habe. Design steht ganz oben auf der Liste der Dinge, die wir »erkennen, sobald wir sie sehen«. Wir erkennen »Cooles« und »Uncooles«. Wir brauchen dazu keine Anleitung. Vielleicht kann ich Design am besten definieren, indem ich Aussagen anderer zitiere, über die ich gestolpert bin. (Die meisten der folgenden Zitate verdanke ich einer Publikation des britischen Design Council.)

»Design zeigt, wie schön etwas sein kann. Es hat eine tiefe Bedeutung. Design verändert das Leben und beeinflusst die Zukunft.« – **Sir Ernest Hall, Dean Clough**

»Jedes von der Virgin Group angebotene neue Produkt und jede Dienstleistung muss: (1) von bester Qualität sein, (2) großen Wert bieten, (3) innovativ sein, (4) eine ernsthafte Konkurrenz zu bestehenden Alternativen darstellen und (5) ›Humor‹ und ›Frechheit‹ ausstrahlen.« – **Richard Branson, CEO der Virgin Group**

»Es war eine Offenbarung zu sehen, wie Design das menschliche Verhalten beeinflusst. Allein durch die veränderte grafische Gestaltung einer Ausstellung verdoppelte sich die Zahl der Besucher.« – **Gillian Thomas, ehemals Science Museum, London**

»Außergewöhnlich gutes Design ist in den Dienstleistungsbranchen keine Frage der Wahl. Es muss zentraler Bestandteil dessen sein, was ein Unternehmen tut und wofür es steht.« – **Richard Dykes, Managing Director, Royal Mail**

LASSEN WIR DIE VOM DESIGN COUNCIL BEFRAGTEN 10- UND 11-JÄHRIGEN SPRECHEN:

»Designer sind Leute, die mit ihrem Herzen denken.«
James, 10 Jahre

»Ohne Design gäbe es nichts zu tun, und nichts würde besser werden. Die Welt würde kaputtgehen.«
Anna, 11 Jahre

»Mein Lieblingsdesign ist das Nike-Logo, denn es gibt mir Selbstbewusstsein – auch wenn ich in Sport nicht so gut bin.«
Raoul, 11 Jahre

»Die Zukunft wird faszinierend sein. Ein Ort, an dem Erlebnisse wichtiger als Informationen, Wahrheit wichtiger als Technologie und Ideen die einzige globale Währung sein werden.« **– Ralph Ardill, Imagination**

»Ich wünschte, es flösse mehr Geld und Zeit in die Gestaltung außergewöhnlicher Produkte anstatt in die psychologische Beeinflussung der Wahrnehmung der Käufer mittels aufwendiger Werbung.« **– Phil Kotler, der Marketingguru**

»Design ist eines der wenigen Instrumente, die für jeden ausgegebenen Dollar tatsächlich etwas über Ihr Unternehmen aussagen. Es steht in Ihrer Macht, mittels Design den Reichtum und das Wohlergehen Ihres Unternehmens zu steigern.« **– Raymond Turner, British Airports Authority**

»Bei den wichtigsten Entdeckungen in der Geschichte des Computers stand die Suche nach Schönheit und Eleganz Pate. […] Die Schönheit eines Beweises oder einer Maschine beruht auf der glücklichen Verschmelzung von Einfachheit und Kraft. […] Ein guter Programmierer kann mindestens 100-mal so produktiv sein wie ein durchschnittlicher. Diese Differenz hängt weniger mit technischem oder mathematischem Vorwissen als mit Geschmack, gutem Urteilsvermögen und ästhetischer Begabung zusammen.« **– David Gelernter, Machine Beauty: Elegance and the Heart of Technology**

DESIGNANLEITUNG

Rekapitulieren Sie diese Formulierungen:
»Zeigen, wie schön etwas sein kann.«
»Das Leben verändern und die Zukunft beeinflussen.«
»Humor und Frechheit ausstrahlen.«
»Faszinierende Zukunft.«
»Suche nach Schönheit und Eleganz.«
»Glückliche Verschmelzung von Einfachheit und Kraft.«
Solche Worte sind in den heiligen Hallen des Managements nur allzu selten zu hören. (Wie üblich.)
WARUM? Warum erweitern Sie Ihren aktiven Managementwortschatz oder gleich Ihre großartige Firmenphilosophie nicht beispielsweise um das Wort »Frechheit«? VERDAMMT NOCH MAL!

Design

Die »Seele« des Geschäfts

17 Gewohnheiten wirklich designorientierter Unternehmen

Angenommen, Design soll in Ihrem Unternehmen einen zentralen Platz einnehmen. (Nicht zuletzt in der »Finanzabteilung«.) Wie würden Sie vorgehen? Hier sind einige Anhaltspunkte. Designorientierte Unternehmen ...

1 setzen Design grundsätzlich auf jede Sitzungstagesordnung – in allen Abteilungen des Unternehmens;

2 ergänzen praktisch jedes Projektteam um einen Designer;

3 haben Räumlichkeiten und Gebäude, die singen und schwingen und den supercoolen Designansatz aller Produkte, Dienstleistungen und Erlebnisse des Unternehmens widerspiegeln;

4 haben interne und externe Wettbewerbe (Mitarbeiter, neue Produkte, Lieferanten) mit Schwerpunkt DESIGN;

5 messen die externe Anerkennung, die sie für ihre Designaktivitäten ernten;

6 machen Vielfalt zu einer wichtigen Priorität: Gutes Design beruht in erster Linie auf der Wahrnehmung der höchst unterschiedlichen und häufig schwer erkenn-

Design

Die »Seele« des Geschäfts

FAHRSTUHL ZUM ... BÜRO
Niels Diffrient, Designer und Fortune-500-Berater, schrieb in einem Artikel für die Zeitschrift *Metropolis* unter der Überschrift »Reimagining Work«: »Mein ideales Büro hätte keinen Stuhl. Es gäbe nur zweierlei: stehen oder liegen. Das sind die natürlichen Positionen für den Körper.«

Designerin Lise Anne Couture sagt: »Ich denke, es ist wie mit der Henne und dem Ei. Produzieren Möbelfabrikanten Quaderförmiges wegen der Nachfrage, oder resultiert diese Nachfrage aus Mangel an echten Alternativen?«

Beide Kommentare kann ich unterschreiben. Vor nicht allzu langer Zeit sprach ich zu einer Gruppe von Immobilienexperten. Ich sprach über die veränderte Natur der Arbeit – virtuelle Teams, Kreativität als Wertschöpfungsbasis

und so weiter. Dann sagte ich, beinahe nebenbei: »Wenn Sie Ihr Wohnzimmer mit Möbeln von Steelcase ›dekorieren‹ würden, bitte, warum nicht auch Ihr Büro. Ansonsten ...«

Der »Arbeitsraum« ist WICHTIG. Ich bin entgeistert, wenn ich sehe, wie »lebensfeindlich« 99 Prozent aller Arbeitsräume sind. (Besonders die preisgekrönten.)

Ich bin entgeistert, wenn ich sehe,
wie »lebensfeindlich« 99 Prozent aller
Arbeitsräume sind.

baren Bedürfnisse der verschiedenen Mitglieder unserer internen und externen Kundenkreise;

7 beziehen Designbewusstsein in ALLE Schulungsaktivitäten und alle Mitarbeiterbewertungen ein. ES GESCHIEHT, WAS GEMESSEN WIRD – NICHT ZULETZT IN PUNCTO DESIGN;

8 machen offen von der Sprache des Designs Gebrauch. Apple-Gründer Steve Jobs spricht davon, dass Dinge »irre fantastisch« seien. Wunderbar. Designfanatiker verwenden eine solche »heiße« Sprache. Und sie fühlen sich darin zu Hause;

9 setzen formale »Designpolizisten« (JA ... POLIZISTEN!) ein, um alle Spuren schlechten Designs auszumerzen, sowohl innerhalb der Abteilungen als auch extern gegenüber Geschäftskunden und Endverbrauchern;

Design

Die »Seele« des Geschäfts

10 haben ein mit externen und internen Mitgliedern besetztes Designgremium, das über das strategische Programm zur Stärkung des Designbewusstseins wacht;

11 sprechen offen über die Designqualität der »Unternehmenskultur« und arbeiten systematisch und programmatisch an ihrer Verbesserung;

12 laden regelmäßig Stardesigner zu Vorträgen vor den unterschiedlichsten Foren ein. DER GEDANKE DAHINTER: DIE »GROSSE DESIGNIDEE« WIRD STÄNDIG AM KOCHEN GEHALTEN;

13 haben große Kunst an den Wänden hängen. Jay Chiat von Chiat/Day glaubte, dass die Teams dadurch angeregt würden, großartige Werbekonzepte zu entwickeln (Amen.). (Und wieder: Warum nicht auch in der Logistikabteilung?);

14 unterstützen die Künste. Designorientierte Unternehmen achten auf Aktivitäten in ihrem Umfeld, die mit Design zu tun haben. »DESIGN IST TEIL UNSERES CHARAKTERS«, LAUTET HIER DIE BOTSCHAFT;

15 haben eine starke offizielle »Designfunktion«. DESIGN TAUCHT AUF IHREM ORGANISATIONSDIAGRAMM NAHE DER UNTERNEHMENSSPITZE AUF (PUNKT.);

16 haben einen Chefdesigner im Führungsgremium sitzen (DER RANG SPIELT SEHR WOHL EINE ROLLE);

Design

Die »Seele« des Geschäfts

ENTWICKLUNGSHILFE
Aus einem Bericht der *BusinessWeek* vom Juli 2002: »Als die US-amerikanischen Autohersteller die Kunden scharenweise zu brandneuen ausländischen Modellen abwandern sahen, begannen sie, von ihren europäischen Rivalen Stardesigner abzuwerben und den Absolventen von Designschulen fette Gehälter zu zahlen. Die Designer und Marketingexperten erhielten zudem mehr Mitsprache bei der Entwicklung neuer Modelle, und die Designchefs wurden in der Unternehmenshierarchie höhergestellt. Resultat: Keine Limousinen mehr, die aussehen wie Lutschbonbons. Detroit bringt Hingucker wie den Chrysler PT Cruiser oder den europäisch gestylten Ford Focus und Modelle an der Grenze zum Transporter heraus.«

17 veranstalten jährlich oder alle zwei Jahre ein »Design-
audit«, dessen Ergebnisse im Jahresbericht oder in
einem speziellen Jahresdesignbericht veröffentlicht
werden.

Dies ist eine strenge Liste von »Anforderungen«. Ich gehe nicht
davon aus, dass ein »unschuldiges« Unternehmen sie alle auf
einmal umsetzen wird. Zweck dieses »Waschzettels« ist zu zeigen, dass sich die »weiche«/»emotionale« Idee eines designori-
entierten Unternehmens in harte praktische Schritte übersetzen
lässt.

Seien Sie Ihr eigener Designkritiker

Vielleicht sind Sie kein Künstler. Auch ich bin keiner. (Und das
ist noch untertrieben.) Gibt es Hoffnung? Nehmen Sie mich. Ich
bin heute genauso wenig Künstler wie vor 30 Jahren; ich brach
mein Architekturstudium ab und wurde Ingenieur, weil mir jede
künstlerische Begabung abging. Aber ich weiß genau, dass ich
heute erheblich »designbewusster« bin als noch vor zehn Jahren.

Mein Geheimnis: Aufwachen. Antennen ausfahren. Mein
persönlicher Trick: Ich führe ein *Designnotizbuch*. Ein einfacher
Gegenstand, gekauft in einem Londoner Schreibwarengeschäft.
Auf den vorderen Umschlag schrieb ich »COOL«. Auf den hin-
teren »UNCOOL«. Dann begann ich zu sammeln. Kleine Dinge.
Meistens. Was mich abstieß. Oder anzog. Shampooflaschen mit
unleserlichem »Shampoo«. Irreführende Beschilderungen. Wider-
sinnige Softwarebefehle. Das waren die negativen Punkte.

Design

Die »Seele« des Geschäfts

DESIGNFANATIKER
Mitte 2004 bekam ich ein
Vorabexemplar von Dan
Pinks jüngstem Buch *A
Whole New Mind* zuge-
spielt. Ich widmete ihm
eine wohlverdiente Eloge.

Die Botschaft des
Buches (in so vielen Wor-
ten): Die Zukunft gehört
den ... Designfanatikern.

Pink schreibt: »Die
vergangenen Jahrzehnte
gehörten jeweils einer
bestimmten Spezies

von Spezialisten – den
Computerprogrammierern,
die ihren Code strickten,
den Juristen, die an ihren
Verträgen feilten, den
Betriebswirten, die sich
die Bäuche mit Zahlen
vollschlugen. Aber die
Schlüssel zum Königreich
wechseln den Besitzer.
Die Zukunft gehört einer
ganz anderen Spezies
mit ganz anderen Fähig-
keiten – den Kreativen
und Einfühlsamen, den

Mustererkennern und
Meinungsmachern. Sie
– die Künstler, Erfinder,
Gestalter, Geschichten-
erzähler, Pfleger, Tröster,
Utopisten – werden künftig
von der Gesellschaft am
reichsten belohnt werden.«

Auf eine Formel ge-
bracht: »Der Kunstwirt löst
den Betriebswirt ab.«

COOL

☺

UNCOOL

☹

Achten Sie besonders auf Beschilderungen

Oder meine Begeisterung für Ziploc-Tüten. Heavenly-Betten von Westin. Diese Beispiele hatten nicht unbedingt mit meinem Lebensunterhalt – Publikationen, Vorträge und Beratungstätig-keiten – zu tun. Entscheidend war, dass diese Liste mich selbst für Design empfänglicher machte. Ich wurde mir der enormen Vielzahl von Designvariablen bewusst, die mit im Spiel sind, wenn ich eine Präsentation halte oder ein Buch verfasse. (Dieses Buch!)

LASSEN SIE IHRE DESIGNMUSKELN SPIELEN

Hier sind einige Designaufwärmübungen:

1. Heben Sie gute – und schlechte – Werbepost auf. Überlegen Sie: Warum gefällt Ihnen die eine und die andere nicht?

2. Kaufen Sie für weniger als 10 Dollar ein. Sie werden merken, dass gutes Design schon für 2,95 und nicht erst für 22 295 Dollar zu haben ist.

3. Achten Sie besonders auf Beschilderungen und Bedienungs-anleitungen.

4. Vergleichen Sie Bestellformulare oder andere Eingabefelder verschiedener Websites. (Das Internet ist ja ein reines Designmedium.)

(K)eine Ursache!

Und hier ist ein Rat von Designkritiker und Brummbär Donald Norman (von dem unter anderem das Buch *The Design of Every-day Things* stammt):

Hören Sie auf, sich selbst die Schuld zu geben.

Norman behauptet, unsere Schwierigkeit, ein Designbewusstsein zu entwickeln, erkläre sich in erster Linie durch unsere Angewohnheit, für Dinge, die nicht funktionieren, die Ursache immer zuerst in unserer eige-nen Ungeschicklichkeit zu suchen.

HÖREN SIE AUF, SICH SELBST DIE SCHULD ZU GEBEN

Wenn Sie mit einem Computerprogramm immer wieder Ärger haben, dann sollten Sie, »tollpatschig« oder nicht, den grau-samen Designer dafür verantwortlich machen!

Diese Probleme sind nämlich die Folge eines (schlechten) Designs, das keine Rücksicht nimmt auf einen normalen und möglicherweise ungeübten Anwender wie Sie.

Die Reporterin Susan Casey schrieb in *eCompany.com:*
»Manchmal überfällt mich in Mietwagen die große Wut. Nicht
wegen des Verkehrs. Sondern wegen des Designs.«

Amen, Susan.

Ich plädiere nicht dafür, Designer zu erschießen. Auch nicht
die schlechten. »Wut auf Design« jedoch ist ein hervorragender
Ausgangspunkt für Designbewusstsein.

Natürlich müssen wir diese Wut, die wir auf »andere« haben,
jetzt auf unsere eigene Welt übertragen – auf unsere Abteilungen,
unsere Kunden und unser eigenes »Erlebnisangebot«.

Was schlechtes Design nicht alles bewirkt!

Was brillantes Design nicht alles bewirkt!

KURSSCHWÄCHE

*Was immer Sie tun, richten Sie Ihre Designwut nicht nur gegen De-
signer. Andere Kandidaten: Unternehmen. Und ... Wirtschaftsschulen.*

*Das renommierte Design Management Institute widmete die
Sommer-2002-Ausgabe seiner Zeitschrift der Verbindung zwischen
Design und Wirtschaftsstudium. In einem Artikel ging es unter ande-
rem um »Design in Grund- und Wahlkursen« in »Spitzenmanagement-
Programmen«. Hier ist eine Auswahl der Resultate (mit variierenden
Stichprobengrößen):*

Frage	Ja ▉ Nein ▉
Design in einem Grundkurs	
Design in einem Wahlkurs	
Kreativität in einem Grundkurs	
Kreativität in einem Wahlkurs	
Innovation in einem Grundkurs	
Innovation in einem Wahlkurs	

*Die (SEHR AUFSCHLUSSREICHE) Erklärung eines Dekans zum feh-
lenden Design-, Kreativitäts- und Innovationsschwerpunkt an seiner
Institution:*

*»Unsere Programme sind quantitativ ausgerichtet. Wir vermitteln
die Grundlagen, die erforderlichen Fähigkeiten und Prozesse für die
Entscheidungsfindung.«*

*Vermutlich gefällt er sich darin, zukünftige Controller für Unterneh-
men wie Enron, Tyco und WorldCom auszubilden. (Verstehen Sie jetzt
meine Verachtung für die meisten Wirtschaftsschulen? Und meinen
hohen Frustrationsgrad?)*

*Nachtrag: Statt Design an Wirtschaftsschulen zu lehren, sollten wir
vielleicht lieber Wirtschaft an Designschulen unterrichten.*

Design

=

Seele.

Glauben Sie mir.

Designstimmen
(Fortsetzung)

**Mehr kluge Worte zur großen
(und potenziell gigantischen)
Rolle des Designs ...**

»Design wird bei BMW wie
eine Religion gehandhabt.«

Fortune Magazine

»Dann und wann taucht
ein Design auf, das unse-
re Vorstellung von einem
bestimmten Objekt radikal
verändert. Beispiel: der iMac.
Plötzlich ist ein Computer
nicht länger ein anonymer
Kasten. Sondern eine Skulptur, ein Gegenstand der
Begierde, etwas, was man
anschauen kann.«

Katherine McCoy und
Michael McCoy, Illinois
Institute of Technology

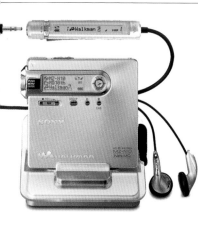

»Bei Sony gehen wir davon aus, dass die Produkte unserer Wettbewerber in Bezug auf Technologie, Preis, Leistung und Merkmale mit unseren eigenen mehr oder weniger identisch sind. Einzig das Design unterscheidet unsere Produkte von anderen.«

Norio Ohga, bis vor Kurzem Chairman von Sony

»Vor 15 Jahren konkurrierten die Unternehmen über den Preis. Heute ist es die Qualität. Morgen ist es das Design.«

Bob Hayes, emeritierter Professor an der Harvard Business School

Design

Die »Seele« des Geschäfts

DIE SPRACHE DES DESIGNS

Achten Sie wieder auf die verwendete Sprache:

»Morgen ist es das Design ...«

»Einzig das Design ...«

»Design ist ... wie eine Religion ...«

»Gegenstand der Begierde ...«

Designfanatiker

Milliarden und Abermilliarden (Billionen?) Dollar stehen auf dem
Spiel. Einige Unternehmen haben es begriffen: Sony. Nike. Gillette. Apple. Body Shop. VW. Amazon. Nokia. Target. Bloomberg.

Nichts ... NICHTS ... (!!!) ...

ist den Executives dieser Unternehmen wichtiger als unge-
bremster ... unverhohlener ... Fanatismus ... in Sachen ...
Design.

Aber viele Unternehmen (die meisten) begreifen es nicht.
Deshalb geben sie sich beim Design keine Mühe. (Und es ist
mühevoll. Eine harte Arbeit, die ständige Aufmerksamkeit, Liebe
und Obsession erfordert.) Und wer sich die Mühe nicht macht,
VERTUT EINE R-I-E-S-I-G-E CHANCE.

Diese (meine) Worte sind deutlich.

Diese (meine) Worte sind emotional.

Aber diese Worte sind auch frustrierend. Frustrierend, weil
Steve Jobs, mein Lieblingsbewohner von Silicon Valley, absolut
recht hatte, als er meinte: *»Design ist die fundamentale Seele
aller von Menschen geschaffenen Dinge.«* Designbewusstsein
erzeugen Sie nicht, indem Sie Ihr Scheckbuch zücken und hun-
derttausend Dollar für einen »Stardesigner« hinblättern, den Sie
dann »machen lassen«.

Design ist eine Sache der Seele.

(Noch einmal: ES GEHT UM MILLIARDEN ... BILLIONEN.
UND UM UNSERE KOLLEKTIVE SEELE.)

Design = Seele.

Glauben Sie mir.

Design

!

Die »Seele« des Geschäfts

**DESIGN: SIE HABEN ES IN
DER HAND**
Dieses Buch (gemeint ist
die englische Originalaus-
gabe, Anm. d. Red.) – wie
auch *Re-image!*, das große
Buch – weicht von meinen
früheren literarischen Ver-
suchen deutlich ab.
  Neuer Verlag.
  Neue Gedanken.
  Neues DESIGN.
  Die Entscheidung

zugunsten von Dorling
Kindersley geht auf meine
Frau zurück, eine Künst-
lerin und Designerin, die
die Bücher dieses Verlags
wegen ihrer wunderbaren
Gestaltung besonders
schätzt.
  Es stellte sich heraus,
dass die Verantwortlichen
von Dorling Kindersley
einen Ehrgeiz hegten, der
mir sehr entgegenkam.

Nämlich: das Business-
buch neu zu erfinden. Wir
wollten, dass es dieselbe
Energie ausstrahlt, die
auch für gutes Manage-
ment kennzeichnend ist.
Und wir wollten ein Busi-
nessbuch schaffen, dessen
Konzept durch das Design
geprägt ist (und zwar ganz
stark).

TOP 10 TO-DOs

1. *Bieten Sie »Seele«.* Überprüfen Sie Ihren gesamten Design-prozess auf seinen Seelengehalt. Mit anderen Worten: Nicht hübsch muss es sein, sondern tief.

2. *Sammeln Sie Schätze.* Greifen Sie nach einem Notizblock oder legen Sie eine Computerdatei an, in der Sie alle Produkte und Dienstleistun-gen verzeichnen, denen Sie über den Weg laufen und die ... Sie nachhaltig begeistern.

3. *Sammeln Sie Hassobjekte* (wo Sie schon einmal dabei sind). Schreiben Sie auf, was Ihren ... absoluten Widerwillen hervorruft. Machen Sie sich Gedanken über die Gemeinsamkeiten zwischen beiden Listen.

4. *Entwickeln Sie Fingerspitzengefühl ...* für Dinge, die Sie aufgrund ihres Designs emotional anziehen. Finden Sie eine Möglichkeit, dieses Empfinden mit sich herumzutragen ... wie ich mein Spannschloss mit mir herumtrage!

5. *Beschränken Sie Design nicht auf Dingliches.* Gestalten Sie auch Ihre Dienstleistungen und Geschäftsprozesse nach Design-kriterien. (Beispielsweise als Leiterin der Finanzabteilung.)

6. *Öffnen Sie Ihren Apothekenschrank,* Ihren Werkzeug-kasten oder Ihre Küchenschublade. Machen Sie sich ein Bild davon, welche Designwirkung von kostengünstigen Dingen ausgehen kann.

7. *Lassen Sie die Hüllen ...* sprechen. Gönnen Sie jedem Ding eine standesgemäße Verpackung. Dass Design sich nicht auf Äußerlichkeiten beschränkt, heißt (per se) noch lange nicht, dass die Oberfläche nicht zählt.

8. *Lesen Sie die Zeichen.* Achten Sie um Sie herum auf Beispiele seelenvoller Lenkung und unseliger Irreführung.

9. *Huldigen Sie der Form.* Investieren Sie Zeit, Energie und Design-Know-how in die Abfassung und Gestaltung sämtlicher (!) Geschäfts-dokumente.

10. *Regen Sie sich auf.* Gönnen Sie Unternehmen, die Ihnen schäbig gestaltete Dinge anzudrehen versuchen, kein Pardon. Denken Sie daran: Nicht Sie tragen die Schuld, sondern »sie«.

COOLE FREUNDE: VIRGINIA POSTREL

Virginia Postrel schreibt eine Wirtschaftskolumne für die
New York Times *und ist die Autorin des Buches* The Future
and Its Enemies – The Growing Conflict Over Creativity, Enterprise, and Progress *aus dem Jahr 1998. Es folgen
einige Bemerkungen, die sie anlässlich der Veröffentlichung
ihres jüngsten (stark designbetonten) Buches* The Substance
of Style – How the Rise of Aesthetic Value is Remaking
Commerce, Culture, and Consciousness *(2003) zu Protokoll
gab.*

Ich schreibe aus zwei Gründen über Toilettenbürsten. Erstens
sind sie ein Beispiel für etwas rein Funktionelles, das sich im
Lauf der letzten zehn Jahre zum Designobjekt mit ästhetischem
Genusswert entwickelt hat. Und zweitens eignen sich Toilettenbürsten nicht dazu, vor den Nachbarn Eindruck zu schinden.
Sie sind kein Statussymbol, sondern dienen ausschließlich dem
ästhetischen Genuss und der persönlichen Sinnfindung.

* *

Wir haben hier enorme Preisaufschläge, die jedoch in absoluten
Dollarbeträgen gerechnet sehr gering sind. Wir sprechen von
Preisen zwischen vier und zwölf US-Dollar je Bürste. Das ist
ein 200-Prozent-Anstieg um gerade einmal acht US-Dollar. Mit
vergleichsweise wenig Geld ist es möglich, etwas mehr ästhetischen Genuss in den Alltag zu bringen. ... Wenn wir zuschau-
en, wie Menschen einkaufen, erleben wir häufig, wie sie ausru-
fen: »Hey, das ist ja toll«, »Ist das nicht klasse« oder »Das ist
aber süß«. Um genau diese Reaktionen geht es – insbesondere
dann, wenn wir es nicht mit Luxusgütern zu tun haben.

* *

Im Lauf der letzten hundert Jahre haben die Menschen ihr ästhetisches Empfinden natürlich nicht verloren, aber es gab immer
wieder Zeiten, in denen Äußerlichkeiten keine so große Rolle
spielten und es in erster Linie darum ging, überhaupt Zugang zu
diesen Produkten und Dienstleistungen zu haben. Das Automo-
bil ist ein gutes Beispiel für eine Branche, in der die Ästhetik
bisweilen eine wichtige Rolle spielte. Zu anderen Zeiten waren
Merkmale wie Funktionalität und Komfort wichtiger. Als die

Autobranche in den Fünfziger und Sechzigerjahren einen hohen Reifegrad erreichte, gewann die Ästhetik sehr an Bedeutung. In den Siebziger und Achtzigerjahren hingegen führten Energie- und Effizienzüberlegungen sowie ein verstärkter Wettbewerb dazu, dass andere Dimensionen in den Vordergrund rückten. Heute wird gute Qualität zu wettbewerbsfähigen Preisen ange- boten, und die Menschen versuchen sich zunehmend über die Ästhetik ihres Automobils selbst zu definieren.

Es gab eine Zeit, als Massenfertigung und Massenvertrieb den Inbegriff des wirtschaftlichen Fortschritts darstellten. Und verglichen mit dem, was vorher war, handelte es sich wahrlich um Fortschritt. Aber wenn wir in großen Stückzahlen produzieren wollen, müssen wir uns im Design auf den kleinsten gemein- samen ästhetischen Nenner zurückziehen, weil wir andernfalls Gefahr laufen, viele potenzielle Kunden zu verlieren. Aus vieler- lei Gründen sind wir heute in der Lage, Produktion und Vertrieb vielfältiger und individueller zu gestalten. Folglich können wir auch mehr Vielfalt und mehr Intensität anbieten, denn selbst wenn wir mit dem einen Design manche Kunden anlocken und andere vertreiben, gibt es immer noch ein weiteres Design, mit dem wir wiederum andere Kunden anlocken und vertreiben als mit dem ersten.

* *

Wir haben es hier mit einem Kopplungseffekt zu tun. Seitdem der öffentliche Raum zunehmend anspruchsvoll gestaltet ist, erwarten die Menschen dieselbe Art von Ästhetik auch in anderen Lebensbereichen. Wer in den Fünfzigerjahren in einem Gasthof essen ging, erwartete vermutlich, dass es dort genauso schmeckt wie zu Hause. Es ging lediglich darum, den Aufwand der Essenszubereitung und des Aufräumens zu umgehen. Die Atmosphäre des Restaurants und die Qualität des Essens waren nicht wirklich ausschlaggebend. Die Menschen waren froh, dass sie zu essen bekamen. Ausgehen war ein Luxus, den man sich nicht allzu häufig leistete.

Heute würde das nicht mehr funktionieren, es sei denn im nostalgischen Sinne, wenn jemand sagt: »Hier pflegten wir als Kinder einzukehren.« Mittlerweile erwarten die Menschen besseres Essen, unterschiedliche Küchen und ein anspruchsvoll gestaltetes Ambiente. Dabei brauchen wir gar nicht bis zu den

Restaurants der Fünfzigerjahre im Cafeteriastil zurückzugehen. Es reicht bereits ein Vergleich zwischen Pizza Hut, dem Standardpizzarestaurant der Siebzigerjahre, und California Pizza Kitchen, dem heutigen Standard der amerikanischen Vorstädte. Die Gesamtästhetik des Restaurantbesuchs vom Essen bis zur Einrichtung unterscheidet sich diametral.

* *

All unsere ästhetischen Entscheidungen, und sei es die Entscheidung, die Ästhetik zu ignorieren, werden von unserer Umwelt als Ausdruck dafür interpretiert, wer wir sind. ...

Ich spreche über Hillary Clintons Frisur und wie die Menschen sie interpretieren und welche Witze sie darüber machen. Sie wird mit den Worten zitiert: »Das Wichtigste, was ich gelernt habe, ist, auf meine Frisur zu achten, weil jeder andere es auch tut.« Hier war eine Frau, die nicht auf ihre Frisur und die Meinung der Menschen achtete, und plötzlich stand sie im Rampenlicht. Sie hatte keinen eigenen persönlichen Stil. Ob die Leute sie mochten oder nicht – sie verbanden mit den wechselnden Frisuren Bedeutungen, die zutreffen mochten oder auch nicht. Weil Clinton ihre eigene Ästhetik nicht definiert hatte, hatte sie auch die inhaltliche Auseinandersetzung nicht unter Kontrolle.

Ähnliches gilt auch für die Wirtschaft. Wer ein Restaurant betreibt, bringt mit der Atmosphäre, die er schafft, zugleich zum Ausdruck, was für Gäste er sich wünscht und wer er selber ist. Wenn er alles so belässt, wie er es vom Vorgänger übernommen hat, oder seine Entscheidungen zufällig und aus rein praktischen Erwägungen heraus trifft, drückt er damit etwas anderes aus.

* *

Das ist ein zweischneidiges Schwert. Für die Kunden, die etwas kaufen wollen, und für die Spaziergänger, die die Umgebung und die Passanten betrachten, ist das alles wunderbar, weil die Welt so viel schöner, interessanter und aufregender ist.

Für die Anbieter jedoch, die ihre Produkte entwerfen oder sich als Verkäufer ansprechend kleiden müssen, bedeutet dies alles mehr Druck und mehr Wettbewerb. Anders als beim simplen Statuswettbewerb, bei dem wir nur mehr Geld ausgeben müssen, um einen besseren Platz zu erreichen, gilt es hier, auf viele Details zu achten. Wir müssen unser Äußeres mit unserem Inneren und unsere Identität mit unserer Ästhetik in Deckung bringen, ganz gleich, ob im persönlichen Bereich, auf der Unternehmensebene oder wo auch immer.

* *

Denken wir an gestaltete Orte. ... Restaurants und Geschäfte wie beispielsweise Starbucks sowie nichtkommerzielle Orte wie Büchereien, Kirchen oder Flughäfen achten vermehrt auf .. die Ästhetik, die Beleuchtung, den Bodenbelag, die Möbeloberflächen – auf die Schaffung eines ästhetischen Umfelds, in dem die Menschen gern verweilen. Das Unternehmen liefert gewissermaßen den Genuss, den ästhetischen Wert, während die Kunden die Bedeutung, den anderen Wert, beisteuern. Starbucks ist auch hier Vorbild, aber nicht das einzige Beispiel. Die Kunden erleben hier etwas, und der Ort bekommt für sie eine gesellschaftliche Bedeutung.

* *

Der Handwerker, der in Ihrem Badezimmer die Granittische installiert, ist Teil dieser Ästhetikwirtschaft, und all diese Berufe sind Wachstumsbranchen. Aber der Handwerker erzeugt noch kein Erlebnis, sondern er schafft nur ein Ambiente, in dem Sie als Kunde und als Besitzer Ihres Hauses ihre eigenen Erlebnisse haben können.

* *

Diese ästhetische Definition von Identität hat zwei Komponenten: Das mag ich. So bin ich. Das bin ich, das gefällt mir, mit diesen Leuten kann ich mich identifizieren.

2
HINTER
DEN KULISSEN:
»SCHÖNE« SYSTEME

!

Kontraste

Früher	Heute
Mehr	Weniger
Effizient	Elegant
Abschreckend	Anziehend
Zusammengeschustert	Ein organisches Ganzes
Behindert Kommunikation	Fördert Kommunikation
Geschlossen	Offen
»Die Techies machen es schon«	»Lasst designbesessene Führungskräfte ran«
Kompliziert	Einfach
Undurchschaubar	Klar
Ungelenk	Anmutig
Hässlich	Schön

!Tirade

Wir sind nicht vorbereitet ...

Wir vermeiden Wörter wie »Schönheit« – und **DIE IDEE DER SCHÖNHEIT** – zwischen 9 und 17 Uhr. (Besonders, wenn wir in der Personal-, IT- oder Logistikabteilung arbeiten.) • Aber im Rahmen der dringend notwendigen Neuerfindung unserer Unternehmen müssen wir das Wort und die Idee aufgreifen und **SCHÖNHEIT ZU EINEM PRIMÄREN ATTRIBUT NICHT NUR IM PRODUKT-, SONDERN AUCH IM PROZESSDESIGN MACHEN.** • Kurz: Wir müssen ein Unternehmensumfeld schaffen, in dem **Systeme nichts weniger als »schön« sind**.

!Vision

Ich stelle mir vor ...

Verhaltensregeln ... für Personal-, IT- oder Finanzabteilungen ... **DIE AUF EINE SEITE PASSEN**.

IN VERSTÄNDLICHER SPRACHE abgefasste Vordrucke für Versicherungspolicen oder für Einverständniserklärungen von Krankenhauspatienten.

Ein Flugzeug, das von dem Ort, von dem ich komme, **direkt zu dem Ort fliegt**, zu dem ich will, und nicht über irgendein »Drehkreuz«.

Eine Website, auf der ich eine TRANSAKTION IN 90 SEKUNDEN ABSCHLIESSEN KANN.

Das Schöne ...

Die Serviette: Heute befindet sich eine Replik davon an der Wand der Unternehmenszentrale in Dallas. (Vermutlich mit echten Wild-Turkey-Flecken – das war der Lieblingswhisky des Gründers.) Auf dem Original, das Herb Kelleher und sein Kollege Rollin King im Jahr 1966 in einer Bar in San Antonio als Zeichenpapier verwendeten, finden wir ein einfaches Dreieck. An seinen drei Ecken liegen ... San Antonio ... Houston ... Dallas. Und aus diesem schönen Dreieck entstand nichts Geringeres als die weltbeste Fluggesellschaft. Nämlich Southwest.

Die wunderbare Einfachheit dieses ersten Streckenentwurfs wurde in der Folge auf alle Aktivitäten von Southwest übertragen. Die außergewöhnlich günstige Kostenstruktur der Fluggesellschaft spiegelt den auf dieser historischen Serviette vorgezeichneten Ansatz unmittelbar wider.

Design

»Schöne« Systeme

Herbs Serviette war ... schön. Und die Fluggesellschaft Southwest ist ein ... schönes System.

Die Abschlussarbeit: Die Arbeit erhielt die Note »befriedigend«. Im Jahr 1965 erschien die darin vorgestellte Idee abwegig: Sie haben es eilig, ein Paket von Manhattan nach Newark zu transportieren. Eilig ist gar kein Wort. Die Lösung: Schicken Sie es über Memphis! In dieser Arbeit, mit der Fred Smith in Yale gerade noch seinen Abschluss bekam, lagen die Ursprünge von Smiths Naben-und-Speichen-Konzept, das die Paketbeförderung revolutionieren sollte. Das Unternehmen, das aus seiner Arbeit

---

GUT DING HAT ... ANMUT
Ein anderes Wort für »Schönheit« (und ein wichtiges Wort in meinem Wortschatz) ist ... »Anmut«.

Die Designerin Celeste Cooper bringt es auf den Punkt: »Mein Lieblingswort ist ›Anmut‹ ... Schönheit hängt auch von unserer Art zu leben ab – wie wir andere Menschen behandeln und wie wir mit der Umwelt umgehen.«

Ja, die »Anmut« hat es mir ... gewaltig angetan. Und so frage ich mich verwundert: Warum ist in der Managementliteratur und in den Hallen und Konferenzräumen der Wirtschaft so wenig von »Anmut« die Rede?

erwuchs, hat das Leben von vielen von uns verändert. Die Rede ist von Federal Express.

Freds Abschlussarbeit war … schön.
Und Federal Express ist ein … schönes System.

> **ATEMÜBUNG**
>
> *Hat das Atemsystem zentrale Bedeutung für das Funktionieren unseres Körpers? – Natürlich!*
> *Bilden die Systeme eines Unternehmens das Pendant zu unserem Atemsystem? – Natürlich!*
> *Ist unser Atemsystem es wert, sich darum Sorgen zu machen? – Natürlich!*
> *Sind die Systeme eines Unternehmens es wert, sich darum Sorgen zu machen? – Natürlich!*
> *Q.e.d.*

… und das Biest

Ich wette einen Taler darauf, dass in den Unternehmensetagen, wenn das Gespräch auf »Systeme« kommt, selten Wörter wie »Schönheit«, »Ästhetik«, »Anmut« und dergleichen zu hören sind.

Wenn wir an »Systeme« oder »Prozesse« denken, denken wir an »Schrauben und Muttern« und all die technischen Details, die dazugehören, um »einen Job zu erledigen«. Wir denken in Begriffen von »Effizienz« statt »Eleganz«.

Und dennoch hängen die meisten Probleme, mit denen Unternehmen zu kämpfen haben – im Kundenkontakt oder wenn Eile geboten ist –, unmittelbar mit der *Hässlichkeit* ihrer Systeme und Prozesse zusammen. Sogar schöne Systeme neigen mit der Zeit dazu, mit jedem Schritt immer komplizierter und unüberschaubarer zu werden. Jeder dieser Schritte geschieht natürlich aus »gutem Grund«. Bis das hässliche, träge, ineffiziente, entmutigende und unmenschliche Gewirr schließlich alle unglücklich macht. Am Ende »dienen wir dem System«, anstatt dass das System uns dient.

Die wahre Fettleibigkeitsepidemie

Wenn wir an »Systeme« denken, fallen uns für gewöhnlich dicke Handbücher ein – Tausende Seiten Kleingedrucktes, die die Wände sämtlicher Abteilungen öffentlicher und privater Unternehmen füllen. Oder fette Ordner – papieren oder elektronisch –, die sich zu Tausenden von Gründen addieren, warum es besser ist, nicht zu handeln oder das Handeln aufzuschieben.

VIELSEITIGKEIT

Diese zunehmende »Verfettung« der Regeln und Vorschriften spielte eine wichtige Rolle beim Buchhaltungsskandal, der im Jahr 2002 die Wirtschaftswelt erschütterte.

Walter Wriston, der legendäre Chairman von Citigroup, schrieb in einem Artikel für das Wall Street Journal *unter der Überschrift* »The Solution to Scandals? Simpler Rules«: *»Nach letzter Zählung umfassen die vom Financial Accounting Standards Board zusammengestellten allgemein akzeptierten Buchhaltungsprinzipien drei Bände mit rund 4530 Seiten. Manche Regeln zur Verbuchung einzelner Transaktionen erstrecken sich über bis zu 700 Seiten. Es kann nicht verwundern, wenn zwei versierte Wirtschaftsprüfer bezüglich ein und desselben Buchungsvorgangs und unter Kenntnis ein und derselben Regeln zu unterschiedlichen Ergebnissen kommen.*

Vor vielen Jahren schrieb James Madison, der das Problem voraussah, in den ›Federalist Papers‹: ›Es wird für das Volk von geringem Nutzen sein, dass die Gesetze von Männern seiner eigenen Wahl gemacht sind, wenn die Gesetzestexte so umfangreich sind, dass man sie nicht lesen kann, oder so unzusammenhängend, dass man sie nicht verstehen kann [...], dass niemand, der weiß, was heute Gesetz ist, ahnen kann, was es morgen sein wird.‹ Wir können sagen, dass wir diesen Punkt im Rechnungswesen heute erreicht haben.«

Verfettete Systeme sind der Veränderungs- und Flexibilitätsfeind Nr. 1. Außerdem Verbündeter Nr. 1 für Osama bin Laden (im Bereich der nationalen Sicherheit) ... und für junge Rivalen (im Wettbewerb der Unternehmen).

Deshalb dürfen wir uns nicht vor der Lösung »schwieriger« Systemfragen drücken. Wir müssen ihre strategische Bedeutung erkennen und uns ihnen stellen, wenn Veränderung – nein, Revolution – unser Ziel ist.

MARKE = SYSTEM

Jesper Kunde, der dänische Marketingstar, sagt, dass *alle* Systeme klar und unmissverständlich »markenbezogen« sein müssen.

Das ist eine verblüffende Erkenntnis. Jeder Personalchef sollte beispielsweise fragen: Harmonieren meine Prozesse und Verfahren ästhetisch mit dem Markenversprechen des Unternehmens? Das Markenversprechen definiert uns. Und tatsächlich: Markenmacht = Harmonie von Markenversprechen und Unternehmenssystemen.

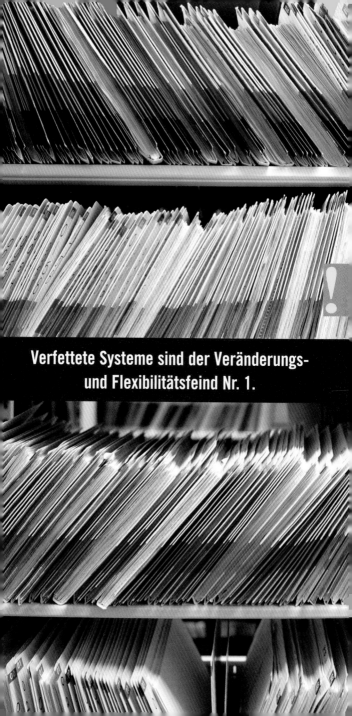

Verfettete Systeme sind der Veränderungs- und Flexibilitätsfeind Nr. 1.

Und ich glaube, dass wir ihnen am besten mit »Design« ...
mit anderen Worten: mit »Schönheit« ... begegnen können.

Design, das unter die Haut geht

»Design«, habe ich im vorigen Kapitel erklärt, ist weit mehr als
die Schönheit beispielsweise eines iMac. Oder die Überzeugungs-
kraft des Logos von Target – samt dem Design der angebotenen
Produkte. (Obwohl in beiden Fällen der Designfanatismus per se
bereits einen Milliardenbeitrag zur Marktkapitalisierung beiträgt.)

Ein Bereich, in dem Design besonders wichtig ist – und kaum
Beachtung findet –, ist die Erzeugung zentraler Unternehmenssysteme. Und zwar Systeme jeder Art.

Man könnte einwenden, »Design« betreffe das Aussehen von
Dingen, während es bei »Systemen« lediglich darauf ankomme,
dass sie funktionieren. Dabei wird jedoch übersehen, dass
»Designdenken« dasselbe ist wie »Systemdenken«. Oder sein
sollte – nein, sein muss, wenn wir mit guten »Lösungen« und
»Erlebnissen« aufwarten wollen. Gutes Design bedeutet, dass
Form und Funktion eine Einheit erzeugen und die einzelnen Teile
auf scheinbar natürliche und zwingende Weise zum Ganzen beitragen. Das gilt genauso auch für Systeme zur Erzeugung groß-
artiger Lösungen und Erlebnisse. Deshalb der von mir geprägte
Begriff der *schönen Systeme*.

> **SCHÖNER GEDANKE**
>
> *Sind »schöne Systeme« ein Oxymoron? Nach traditioneller Denkweise
> ... ja. Aber unser Denken wandelt sich. In ihrem Buch* The Substance
> of Style – How the Rise of Aesthetic Value Is Remaking Commerce,
> Culture, and Consciousness *von 2003 schreibt Virginia Postrel: »Wäh-
> rend die modernistische Designideologie Effizienz, Rationalität und
> Wahrheit versprach, operiert die aktuelle Ästhetik mit einem anderen
> Begriffstripel: Freiheit, Schönheit und Genuss.«*

Systemkritik

Vor Jahren, als ich noch bei McKinsey Berater war, entwickelten
ein Kollege und ich eine sogenannte »anthropologische System-
analyse«.

Systeme werden typischerweise erfunden, wenn Probleme
auftauchen. Ein Kundenauftrag wurde vermasselt. Also erfinden
wir ein »System«, um eine Wiederholung zu vermeiden.

Wunderbar! Clever!

Als jenes System entstand, war Lieschen Müller Leiterin der Kundenserviceabteilung. Nach drei Jahren wurde sie befördert, und die Stelle ging an Hänschen Müller (nicht verwandt). Während Hänschens Amtszeit tauchte ein weiteres schwerwiegendes Problem auf.

Was tat Hänschen? Er erweiterte Lieschens System. Sie können sich den Rest der Geschichte denken: Auf Hänschen Müller folgte Peter Müller (nicht verwandt) und anschließend Emma Müller (nicht verwandt).

Jeder dieser fleißigen Müllers drückte dem System seinen Stempel auf. Bevor Sie »Otto Müller« sagen konnten, war das System so kompliziert, dass es (1) eine ganze Verwaltungsarmee benötigte und (2) keinerlei Raum für Mitarbeiterinitiativen ließ.

Die Müllers, die allesamt gute Absichten hegten, schufen letzten Endes ein Monster. Ein *komplexes* Monster. Ein *hässliches* Monster. Ein *hässliches* System, das das Unternehmen erfolgreich seiner Vitalität beraubt und die große Schar der Mitarbeiter zu anonymen Otto Müllers macht.

KISS

Einseitige Darstellung

»Schöne Systeme« sind einfach. Erlauben Sie mir, diesen »einfachen« Punkt anhand einer Geschichte zu erläutern:

Eines Tages erhielt ich ein Büchlein zusammen mit der Bitte um einige wohlwollende Zeilen für den Klappentext. Ich schob es beiseite. (Das tue ich leider häufiger.) Aber meine Frau war

---

MANAGEMENT ALS HINDERNIS

Vor langer Zeit formulierte Peter Drucker mit der ihm eigenen Treffsicherheit: »Vieles von dem, was wir üblicherweise unter Management verstehen, erschwert den Menschen lediglich das Arbeiten.«

Meine Meinung: Was die Menschen hindert, ihre Arbeit gut zu machen, sind in erster Linie die … *unschönen* Systeme.

VERZETTELT

Ein Formular ist niemals nur ein Formular.

Bedenken Sie, welche Rolle das Formulardesign im »System« der US-Präsidentschaftswahlen 2000 spielte. Ein schlecht gestalteter Wahlzettel in Palm Beach County, Florida, kostete Al Gore möglicherweise das Weiße Haus.

Denken Sie darüber nach.

Design

»Schöne« Systeme

Wenn Sie eine Obsession für »Schönheit«
entwickeln, dann wird »Schönheit« zu
einem normalen Bestandteil Ihres Alltags!
Desgleichen Anmut. Klarheit. Einfachheit.

gerade dabei, ein eigenes Unternehmen aufzuziehen. Und sie benötigte dafür einen überzeugenden Businessplan.

Ich erinnerte mich vage an das Buch. Autor: Jim Horan. Titel: *The One Page Business Plan*. Was für eine alberne Idee, dachte der Ingenieur in mir. Was für eine geniale Idee, dachte der Designfreak in mir.

Ein Blick in das Buch, und ich war fasziniert. Eine einzige Seite, behauptete Horan, reicht aus, um eine Vision und die taktischen Ausführungsdetails umfassend darzulegen.

Genau genommen eine verrückte Idee. (Wie Smiths »absurde« These von Memphis als dem Mittelpunkt des Logistikuniversums.)

Aber warum sollte es den Versuch nicht wert sein?

Glauben Sie mir: Horan war der Berater des Teufels. Ein siebzigseitiger Businessplan – samt Tabellen, Grafiken und Diagrammen – ist ein Kinderspiel. Alles auf einer einzigen Seite richtig darzustellen –

du liebe Zeit!

Wir schufteten und schufteten. Viele Tage lang. Und ich kann es hier und heute bezeugen: *Es war die Mühe wert!* Die Resultate waren … *schön.*

Die *Idee* vom »einseitigen« Businessplan allein ist schon schön.

Es ist nie zu spät, diese alte Verkaufs- und Marketingweisheit (wieder) zu erlernen: »In der Kürze liegt die Würze.«

Oder einfach: KISS (»Keep it simple, stupid.«).

Design

!

»Schöne« Systeme

KURZ UND GUT
Hinter den Kulissen …

John De Laney arbeitet als Anwalt für International Creative Management, die Agentur, die meinen Vertrag für dieses Buch aushandelte. Der ganze Prozess frustrierte mich kurzzeitig sehr, und ich fragte meine Agentur: »Was läuft hier eigentlich?«

Etwa eine Stunde später erhielt ich von John eine E-Mail von einer Drittelseite, in der er mir in einfachen Worten die strittigen Fragen erläuterte. Im Lauf der Zeit erhielt ich von ihm noch mehr Zuschriften – keine länger als eine Drittelseite.

Ich hatte über die Jahre mit vielen Anwälten zu tun. Glauben Sie mir: Ihre

Spezialität ist es, Dinge aufzubauschen. Nicht so bei John.

Das Gesetz des John D.: Alles wirklich Wichtige hat auf einer Drittelseite Platz.

Kriechstrom

Die Möglichkeiten der Vereinfachung sind gigantisch.

Jim Champy, der einst gemeinsam mit Michael Hammer die Bibel des Reengineering *(Business reengineering – Die Radikalkur für das Unternehmen)* verfasste, pflegt seine Executive-Zuhörer mit Schauergeschichten von kritischen Geschäftsprozessen zu fesseln, die in entscheidenden Punkten versagen. Beispiel: die Überprüfung eines Versicherungsfalls. Braucht 23 Arbeitstage. Aber wenn Champy sein Elektronenmikroskop darauf richtet, kommt heraus, dass die tatsächlich geleistete Arbeit nur *17 Minuten* in Anspruch nimmt. Der Rest ist Papier, das herumfliegt (besser: kriecht). Unnötig komplizierte Formulare. Unterschriften. Mehr Unterschriften. Und so weiter. Und so fort.

Das ist der Stand der Dinge.

23 Tage.

17 Minuten.

BIG PHARMAS KLEINE HELFERLEIN

Beispiel Pharmabranche.

Die Anforderungen im Interesse der Patientensicherheit sind angemessen streng. Da habe ich keine Zweifel.

Die von den Pharmariesen entwickelten »Systeme« zur Medikamentenentwicklung sind jedoch völlig übertrieben. Das heißt: kompliziert, träge, ja sogar absurd.

Und das ist einer der Gründe, warum große Pharmaunternehmen Partnerschaften mit relativ kleinen Biotechunternehmen eingehen. Die Biotechunternehmen können sicherlich interessanteres Talent anziehen.

Weit wichtiger jedoch ist, dass sie nicht die Zeit hatten, Systeme zu entwickeln, die so kompliziert sind, dass sie ein effektives Arbeiten praktisch verhindern.

Zu viele ~~Köche~~ Ingenieure

Gordon Bell ist unter anderem der Entwickler des berühmten Betriebssystems VAX, das bei Digital Equipment die Minicomputerbranche revolutionierte. Vor mehreren Jahren lauschte ich einer von Bells Präsentationen, und wir plauderten anschließend miteinander. Was ihn besonders beschäftigte, war das Thema Einfachheit und die Auswüchse von Bürokratien. Bell: »Ich habe kein Projekt erlebt, an dem 500 Ingenieure arbeiteten, das von 50 nicht besser hätte gemeistert werden können.«

Bedenken Sie die Ungeheuerlichkeit dieser Aussage. (Und Bell muss wissen, was er sagt.) Die Rede ist nicht von »ein wenig mehr Effizienz« (Kaizen lässt grüßen!) – von einer Reduzierung der Teamgröße

von 500 auf 462. (Eine beachtliche Ein-
sparung!) Was Bell und andere, denen
ich begegnet bin, vorschlagen, ist eine
Kürzung um 90 Prozent ... von 500 auf
50.

> **Systeme.
> Wir brauchen sie.
> Wir fürchten sie.**

Charles Wang, der brillante und
mürrische Gründer von Computer Associates, war immer schon der Hauskritiker
der Softwarebranche. Er und Bell scheinen aus
demselben Holz geschnitzt zu sein. Wang würde so
argumentieren: Ist ein Projektteam hinterm Plan zurück? Was tun
Sie? Verdoppeln Sie den Einsatz (Leute)? In Wangs Welt nicht.
Sein Rat: Bestimmen Sie die unproduktivsten 25 Prozent der
Teammitglieder und schmeißen Sie sie raus.

Wangs Regel: Es gibt keinen Job, den 30 Leute schlampig
und langsam bearbeiten, der von den besten 23 nicht besser er-
ledigt werden könnte.

(Bell würde vielleicht sagen: von den besten drei.)

MIT SYSTEM

*Vor Jahren führte WalMart einen Mitarbeiterwettbewerb samt Beloh-
nungen und allem ein. Dahinter steckte die Idee, dass jeder Mitarbeiter nach dem »Überflüssigsten« Ausschau hielt, was das Unternehmen
um ihn herum tat.*

*Ehrlich, ich halte das für besser als die üblichen Vorschlags-
systeme. Statt Dinge hinzuzufügen, liegt hier die Betonung auf der
Reduzierung.*

*(Die Idee ist nicht neu. Die größten Bildhauer sind denselben Weg
gegangen. Wie entsteht eine brillante Skulptur von X? Sie nehmen
einen schönen Stein und entfernen alles, was nicht X ist.)*

Systeme: Weder mit ihnen noch ohne sie

Ich bin *kein* Anarchist.

Die Welt ist kompliziert. Verdammt kompliziert für einen
Riesen wie ExxonMobil. Aber ebenso für den Besitzer eines me-
xikanischen Restaurants mit 26 Tischen im texanischen El Paso.
Deshalb brauchen wir Systeme.

Punkt.

Aber genauso, wie wir sie *brauchen*, müssen wir sie auch
fürchten.

Schöne Systeme:
Mist gebaut

Garth Thompson, der Touri-
stenführer, der mich und mei-
ne Familie im Jahr 2001 in
Simbabwe auf Safari mitnahm,
ist einer der weltbesten Ele-
fantenexperten. Ihm verdanke
ich meine Verehrung für diese
außergewöhnlichen Tiere. Was
mich aber völlig hypnotisierte,
waren die Termiten. Diese
talentierten Kreaturen bauen
regelmäßig sechs bis neun
Meter hohe Hügel. (Das ist
rund das 3000-Fache ihrer
Körpergröße; die höchste
von Menschen geschaffene
Konstruktion beträgt rund das 300-Fache unserer Größe – dies zum
Thema Ingenieurskunst!)

Aber was mich wirklich elektrisierte:

Elefanten haben ein ineffizientes Verdauungssystem. Was für die
Elefanten möglicherweise schlecht ist, aber gut für die Termiten.
Infolge dieser Verdauungsschwäche ist Elefantendung äußerst nähr-
stoffreich.

Und damit beginnt die Geschichte.

Angenommen, die Termiten-Baustelle (der zukünftige Hügel) befindet sich 200 Meter von einer Elefantentränke entfernt, wo viel
Dung liegt. Das Termiten-»GPS« peilt das Dunglager an, und die Tiere
beginnen einen präzisionsgesteuerten unterirdischen Angriff. Aber sie
verlassen ihren Hügel nicht mit leerem Mund; jedes Insekt schleppt
einen gewaltigen Krümel Sand oder Erde mit sich.

Bald tauchen sie unter dem Dung auf und holen sich die leckeren
Bissen, die der Elefant acht Meter über dem Boden von einem Baum
gepflückt hat. Den entstehenden Hohlraum füllen sie mit den mitge-
brachten Sand- oder Erdkrümelchen auf!

Ja, ich war hypnotisiert. Und unfähig, meine Managementleiden-
schaft jemals zu vergessen, sagte ich so vor mich hin: »Das ist wahrlich ein schönes System.«

Schönheit ...
Klarheit ...
Anmut ...
Effizienz ...
Eleganz ...
WOW ... alles in einem.

Wenn nur unsere Unternehmenssysteme von der gleichen Qualität
wären!

Design heißt: Systeme gestalten. Und … Systeme reduzieren. Und das ist *das* Geheimnis.

Ein weiteres Geheimnis: Es gibt keinen Bösewicht!

Das ist das Problem. (Denken Sie an die allgegenwärtigen wohlmeinenden Müllers.)

Wir stellen ein: EVP (BUB)

Die einzige Antwort auf das Systemrätsel:

BEKÄMPFEN SIE UNABLÄSSIG DIE (LEBENSERHALTENDEN) SYSTEME, DIE SIE GESCHAFFEN HABEN.

Ich arbeitete mit dem Managementteam eines Wachstumsunternehmens. Das (verzweifelt) versuchte,»innovativ« zu bleiben und sich den komplexen Begleitumständen des Wachstumsprozesses zu stellen. Das Ergebnis unserer Bemühungen war die Schaffung eines Executive-Postens mit einem interessanten Namen.

(Deren Idee, nicht meine.)

Besagter Name: EVP/BUB.

Oder: *Executive Vice President/ Beseitiger unnötigen Ballasts.*

Ich verkenne nicht die Realität. Ich will einen brillanten Systemdesigner in Raum 103. Gegenüber, in Raum 104, will ich einen ebenso einflussreichen Kollegen, den offiziellen oder inoffiziellen EVP/BUB. Ich will, dass der eine von ihnen täglich 19 Stunden lang Probleme löst und Systeme einrichtet. Und ich will, dass der andere täglich 19,1 Stunden lang Blödsinn ausmerzt – in dem Moment, wo er entsteht.

ANFANG VOM LIED

Poeten. Poeten. Poeten.

Das ist die Metabotschaft dieses Kapitels: Wir brauchen weniger Techniker und mehr Poeten in unseren Systemdesignteams.

Und mehr Künstler …

Mehr Jazzmusiker …

Mehr Tänzer …

Punkt.

(Verstehen Sie das als Handlungsanweisung.)

Design

»Schöne« Systeme

Schönheitswettbewerb

Ich hoffe inständig, dass dieses Kapitel Ihnen die Idee näher-
bringen konnte: SCHÖNE SYSTEME. Eine wichtige strategische
Erweiterung meines zentralen Erlebnisdesign-Begriffs. Jetzt
möchte ich einen bewährten Einstiegspunkt anbieten. Nämlich:
einen Schönheitswettbewerb! Hier ist die wunderbare Übung:
1. Wählen Sie ein einzelnes Formular oder ein Dokument aus:
eine Rechnung, einen Luftfrachtbrief, Bestimmungen zur
Lohnfortzahlung im Krankheitsfall oder ein Kundenbeschwerde-
formular.
2. Bewerten Sie das ausgewählte Dokument auf einer Skala von
1 bis 10 (1 = erbärmlich; 10 = Kunstwerk) gemäß vier Dimensionen:

EINFACHHEIT

KLARHEIT

ANMUT

SCHÖNHEIT

3. Erfinden Sie das Dokument anhand dieser Kriterien in den
nächsten drei Wochen neu.
4. Wiederholen Sie dies jeden Monat mit einem neuen Dokument.

Warum sollte eine Rechnung kein Kunstwerk sein? (Sie ist
immerhin ein wichtiger Punkt im Kundenkontakt!) Warum sollten Krankheitsregelungen kein Kunstwerk sein? (Angesichts der
Wichtigkeit, die besten Talente anzuwerben, ist zu hoffen, dass
sich die Personalbestimmungen ähnlich überzeugend lesen wie
ein Roman, nur weniger fiktiv.)

Vier Worte: Einfachheit, Klarheit, Anmut, Schönheit.

Warum sollten irgendwelche finanziellen Dokumente – und
Regelwerke – nicht nach (genau) diesen Kriterien beurteilt werden? Anders gefragt: Warum sollten irgendwelche Unternehmens-
dokumente nicht schön sein?

Wir sind bekennende Fans von Einfachheit, Klarheit, Anmut und Schönheit.

Das können Sie laut sagen

Ah, Wörter. (Wieder einmal.) Nach meiner Einschätzung haben *Einfachheit*, *Klarheit*, *Anmut* und *Schönheit* in den Unternehmen einen viel zu geringen Stellenwert. Und das hängt auch damit zusammen, dass diese Wörter in der Geschäftssprache fast nicht vorkommen.

Ich habe folgende Lektion gelernt: Wenn Sie beginnen, über »Schönheit« zu sprechen – wenn Sie eine Obsession für »Schönheit« entwickeln –, dann wird »Schönheit« zu einem normalen Bestandteil Ihres Alltags! Desgleichen Anmut. Klarheit. Einfachheit. In unserem »wirklichen« Leben (im Gegensatz zu unserem »beruflichen«) sind wir bekennende Fans von Einfachheit, Klarheit, Anmut und Schönheit. Bei einem Kunstwerk. Bei einem Solo von Michael Jordan auf dem Basketball-Court. Wobei auch immer.

Warum also sollten wir dieselben Kriterien nicht auf einen Beschaffungsprozess anwenden? Auf eine Schulung? Auf eine Einstellung? Eine Bewertung? Und so weiter. (Und so fort.)

Systeme ...

Systeme lieben.

Systeme hassen.

Systeme errichten.

Systeme vernichten.

Einfachheit.

Klarheit.

Anmut.

Schönheit.

FAZIT: SYSTEME
Systeme sind wichtig.

Systeme wachsen von alleine.

Systeme, so gut sie auch gemeint sein mögen, vereiteln am Ende Innovation und Fortschritt.

Systeme sind zu wichtig, um sie den »Systemadministratoren« zu überlassen.

Systeme brauchen die Aufmerksamkeit des CEO.

Systeme können ...
WANDEL FÖRDERN.

Systeme können ...
KLAR SEIN.

Systeme können ...
EINFACH SEIN.

Systeme können ...
ANMUTIG SEIN.

Systeme können ...
SCHÖN SEIN.

TOP 10 TO-DOs

1. *Denken Sie »Schönheit«.* Denken Sie an den langweiligsten und trockensten Prozess im ganzen Unternehmen und fragen Sie sich: Wie kann ich ihn schön machen?

2. *Achten Sie auf die Linie.* Verordnen Sie Ihrem Unternehmen, angefangen mit seinem Dokumentenmanagementsystem, eine Schlankheitskur. Losung: Streichen Sie Arbeitsschritte und (wo erforderlich) Stellen.

3. *Warum kompliziert, wenn's auch einfach geht.* Durchkämmen Sie (mit dem Nissenkamm) sämtliche Geschäftsroutinen nach gut gemeinten, aber (letztlich) schädlichen bürokratischen Auswüchsen. Entfernen Sie sie. Spülen Sie nach. Wiederholen Sie den Vorgang.

4. *Fassen Sie sich kurz.* Streichen Sie jedes Memo auf maximal eine Seite zusammen. Was sich aufzuschreiben lohnt, lohnt auch die Bearbeitung.

5. *Werden Sie kreativ.* Engagieren Sie Dichter, Maler, Pianisten. Beschäftigen Sie Künstler, die Ihren Produkten ... Dienstleistungen, Systemen ... eine edle Form geben. (Ja, dies ist eine wirtschaftliche Notwendigkeit.)

6. *Delegieren Sie.* Stellen Sie einen EVP/BUB (Vizepräsidenten für Unkrautvernichtung) ein. (Okay, geben Sie ihm einen anderen Namen, wenn es sein muss ...)

7. *Richten Sie einen Take-away-Dienst ein.* Stellen Sie anstelle eines Vorschlagbriefkastens ... einen »Kahlschlagbriefkasten« auf. (Eine WalMart-bewährte Idee. Mehr brauche ich nicht zu sagen.)

8. *Sagen Sie »Charme«.* Machen Sie sich mit Begriffen wie »Eleganz« und »Anmut« vertraut. (Große Schautafel: »Wie steigern wir den Charme unseres Unternehmens?«)

9. *Nieder mit den Systemen!* Betrachten Sie jedes ERP-System und jedes etablierte Verfahren als schuldig, solange nicht das Gegenteil bewiesen ist. Machen Sie mit allem, was nicht einfach, klar, anmutig, schön ... ist, kurzen Prozess.

10. *Es leben die Systeme!* Versuchen Sie stets, so viel Ordnung wie möglich im Chaos zu schaffen. (Ich bin kein – ich wiederhole: kein – Anarchist.) Wirtschaft handelt von Systemen. Erfolgreich ist, wer die schönsten Systeme entwirft.

3

DESIGN IN AKTION:
DAS UNVERGESSLICHE
ERLEBNIS

Kontraste

Früher	Heute
»Ware« oder »Dienstleistung«	»Erlebnis«
Die Ware ist gut	Es ist ein super Gefühl
Es funktioniert	Es hinterlässt eine unauslöschliche Erinnerung
»Ich bin froh, dass ich es gekauft habe«	»Ich will mehr!«
Zufriedene Kunden	Mitglieder eines Klubs
Wiederholungskunden	Mund-zu-Mund-Propaganda
Sie bekommen das, wofür Sie bezahlt haben	Sie sind immer neu überrascht und begeistert
Entspricht Ihrem Portemonnaie	Entspricht Ihrer Psyche
Erfüllt eines Ihrer Bedürfnisse	Hilft Ihnen zu definieren, wer Sie sind

!Tirade

Wir sind nicht vorbereitet ...

Wir folgen (immer noch) dem Ideal des »zufriedenen Kunden«. • (Kaum etwas war wichtiger im Jahr 1982, als *Auf der Suche nach Spitzenleistungen* erschien.) Stattdessen müssen wir uns **DARAUF KONZENTRIEREN, EIN SCHILLERNDES, TOTALES, DRAMATISCHES UND NEUARTIGES »KUNDENERLEBNIS« ZU SCHAFFEN.**

Wir sprechen immer noch von **»Service« und »Qualität« als den wichtigsten Wertschöpfungsattributen.** • Stattdessen müssen wir begreifen, dass **»ERLEBNIS« NICHT NUR EIN GROSSES WORT** mit riesigen Konnotationen, sondern die **BASIS FÜR EINE VÖLLIG VERÄNDERTE UNTERNEHMENSPRAXIS** ist.

!Vision

Ich stelle mir vor ...

Die **THEATERDIMENSION** von IBM Global
Services. (Oder die **THEATERDIMENSION**
von Starbucks.) • Der Computer
arbeitet gut. (Der Kaffee schmeckt
gut.) • **In Wirklichkeit aber kaufe ich
das THEATER ... den CHARAKTER der
Beziehung.** • DAS **VERSPRECHEN** EINER
TRANSFORMATION. IBM verkauft ... neue
Unternehmenswelten. (Starbucks verkauft
... neue Ich-Welten.)

Wenn wir Begriffe wie »**Erlebnis**«
gebrauchen, denken wir lediglich an
Beispiele wie Starbucks oder Disney. •
Stattdessen müssen wir sie auf IBM
und GE Power Systems ebenso wie auf
ABTEILUNGEN (PSFs!) und **WOW-PROJEKTE**
anwenden.

Die Sprache des Erlebens

Was passiert, wenn wir ein gut designtes, schönes System nach außen wenden?

Mit anderen Worten: Was ist das ultimative Ergebnis ... nicht für die Menschen innerhalb des Unternehmens, sondern für die Kunden ... von schönen Systemen?

Die Antwort: ein Erlebnis, das in Erinnerung bleibt.

Zusätzliche Wertschöpfung setzt seit jeher mehr voraus. Was noch fehlt, ist die Betonung der »weichen« (immateriellen) Attribute wie Annehmlichkeit, Komfort, Wärme, Kameradschaft, Schönheit, Vertrauen und ... »Appeal«.

Es gibt ein Wort, das zusammenfasst, was all diese Attribute für den Kunden bedeuten. Das nicht so unschuldige Wort lautet: *Erlebnis*.

Die »integrierte Lösung« von Farmers Group, Springs oder GE Power Systems stellt so ein echtes Erlebnis dar. Die »Wertschöpfung«, die ein Unternehmen bietet – und die seine Marktkapitalisierung um Milliarden verbessern kann –, ist zunehmend eine Funktion der »Erlebnisqualität«.

BANKGEHEIMNIS

Nehmen Sie das Beispiel der Finanzdienstleistungen. Wenn es bei einem Kredit lediglich auf den Preis ankäme, ginge ich einfach zum billigsten Anbieter. Aber als kleiner Geschäftsmann geht es mir in erster Linie um die Tiefe und die Stabilität der »Beziehung« zu meinem Finanzdienstleister. Fordert er den Kredit zurück, sobald ich nur einen Schluckauf habe? Oder interessiert er sich für mich und wird mein »verlässlicher Partner«?

Glauben Sie mir, wenn mein Banksachbearbeiter mein »verlässlicher Partner« ist, dann bin ich auch bereit, einen höheren Preis für meinen Kredit zu zahlen.

Die Erlebniswelt

Man könnte dieses Kapitel leicht als »semantische Spitzfindigkeit« abtun – weil es den Begriff »Dienstleistung« lediglich durch »Erlebnis« ersetzt. Jede Dienstleistung *ist* ein »Erlebnis«. Dem würde ich unumwunden zustimmen.

Aber Wörter haben eine seltsame Eigenschaft.

Sie können alles verändern.

»Dienstleistung« klingt ganz anders, als ich mir einen Besuch von Disneyland, Walt Disney World, Circus Circus in Las Vegas,

Meisterschaftsturnieren oder Bass Outdoor World, dem legendären Einkaufstempel für Ausrüstung und Kleidung in Springfield, Missouri, vorstelle. Sobald von einem Disney-»Erlebnis« die Rede ist, stellen sich bei mir ganz andere Empfindungen ein.

Ich halte diesen Unterschied für entscheidend. Er hat unmittelbar mit jener Wertschöpfung zu tun, über die ich in den letzten drei Kapiteln gesprochen habe.

Für mich ist ein »Erlebnis« sehr viel »ganzheitlicher«, »totaler«, »emotionaler« und »nachhaltiger« als eine bloße »Dienstleistung«. Eine Dienstleistung ist eine Transaktion. (Gut oder schlecht.) Ein Erlebnis ist ein *Ereignis*, ein Abenteuer, ein Happening, eine Seelenmassage. Mit einem Beginn, einer Mitte und einem Ende. Ein Erlebnis hinterlässt eine unauslöschliche Erinnerung, bereichert meine Biografie und bietet Stoff für tausend zukünftige Gespräche mit Freunden und Enkeln.

Wir haben also zwei konkrete Vorstellungen von dem, was ein Unternehmen anzubieten hat – so unterschiedlich wie Tag und Nacht.

Vorstellung I: Es rentiert sich (Dienstleistung).

Vorstellung II: Es erschüttert die Welt in ihren Grundfesten – zumindest ein wenig (Erlebnis).

Soweit ich weiß, sind Joseph Pine und James Gilmore die Erfinder dieser Idee – zumindest im modernen Wirtschaftskontext. In ihrem brillanten Buch *Erlebniskauf – Konsum als Erlebnis, Business als Bühne, Arbeit als Theater* vertreten sie die These:

»Erlebnisse stellen ein [...] Angebot dar [...], das sich so deutlich von den Dienstleistungen unterscheidet wie diese von den Gütern.«

Design

Das unvergessliche Erlebnis

SONDERLIEFERUNG
Design. Erlebnis. »Die Welt in ihren Grundfesten erzittern lassen.« Gemeinsamer Nenner: Nicht zufriedenstellen, sondern begeistern.

Virginia Postrel in ihrem jüngsten Buch *The Substance of Style – How the Rise of Aesthetic Value Is Remaking Commerce, Culture, and Conscious-*ness: »Nachdem wir uns über ein Jahrhundert darauf konzentriert haben, Fertigungsprobleme zu lösen, Kosten zu senken, die Verfügbarkeit von Gütern und Dienstleistungen zu erhöhen, den Benutzerkomfort zu steigern und Energie zu sparen, geht es heute darum, unsere Welt zu etwas Besonderem zu machen. Für immer mehr Menschen in immer mehr Lebenssituationen spielt es eine wichtige Rolle, wie sich die Menschen, Orte und Dinge in ihrem Umfeld präsentieren. *Wo immer möglich, reichern wir gewöhnliche Funktionen mit zusätzlichen sinnlichen und emotionalen Eigenschaften an.*«

Kernspaltung

Wo wir gerade von den Grenzen des traditionellen Marketings sprechen – hier ist ein Zitat aus der indischen *BusinessWorld:*

»HAT DER MBA DAS MARKETING ZERSTÖRT? Prof. Rajeev Batra sagt: ›Was wir heute brauchen, sind kreativere und innovativere Ideen für den Mehrwert von Produkten und Dienstleistungen, aber wir bilden unsere Leute nicht entsprechend aus.‹ Das an den Business Schools unterrichtete Marketing ist bei Weitem zu analytisch und datenfixiert. ›Es fehlt die Ausrichtung auf Kreativität und große Ideen, wie sie für echte Marketinginnovationen charakteristisch sind.‹ In Indien kommt noch ein weiteres Problem hinzu: Die meisten führenden Positionen im Marketing sind traditionell mit MBAs besetzt. Santosh Desai, Vice President von McCann Erickson und selbst MBA, glaubt, dass die indischen MBA-Ingenieure mit ihrem LEGO-artigen Ansatz dazu neigen, Marketing in kleine Komponenten zu zerlegen. ›Diese reduktionistische Herangehensweise widerspricht der Idee, wonach große Marken über einen zentralen, einheitlichen Kern verfügen müssen.«

Was in den Wörtern steckt

Beispiele ...

1. Aus dem *Wörterbuch der deutschen Gegenwartssprache*:

Erlebnis, das; -ses, -se Geschehnis, *das jmd. erlebt hat und durch das er stark und bleibend beeindruckt wurde:* ein schönes, großes, eindrucksvolles, beglückendes, fantastisches, nachhaltiges, nettes, außergewöhnliches E.; ein aufwühlendes, erregendes, erschütterndes, schreckliches E.; ein ästhetisches, musikalisches, geistiges, religiöses, sonderbares, seltsames E.; d. Konzert, Aufführung, Rede war (mir, für mich) ein einmaliges E.; eine Folge bunter, abenteuerlicher, lustiger Erlebnisse; die Darstellung innerer, persönlicher, eigener Erlebnisse; das E. des Schulanfangs, einer großen Reise, der ersten Liebe; die Fahrt ins Gebirge war ein E.; der Autor schrieb seine frühen Erlebnisse nieder; sie fühlten sich durch das gemeinsame E. verbunden; jmdn. nach seinen Erlebnissen fragen; Erlebnisse mit jmdm. austauschen; dieser Ferienaufenthalt ist mir zum E. geworden; Erlebnisse mit Kindern, Tieren; Damals begannen meine ersten Erlebnisse mit jungen Mädchen REMARQUE *Schwarzer Obelisk* 54

dazu Augenblicks-, Bildungs-, Bühnen-, Ferien-, Gemeinschafts-, Grund-, Jagd-, Jugend-, Kindheits-, Kriegs-, Kunst-, Liebes-, Musik-, Natur-, Reise-, Theatererlebnis

2. Aus dem *Krüger Lexikon der Synonyme* von Erich und Hildegard Bulitta:

Erlebnis: Abenteuer, Ereignis, Eskapade, Geschehen, Nervenkitzel, Sensation, Unternehmung, Vorfall, Wirbel, gewagtes Unternehmen, Ereignis, Erleben, Geschehnis

Denken Sie über folgende Begriffe aus den Einträgen nach:

SCHÖN
EINDRUCKSVOLL
BEGLÜCKEND
FANTASTISCH
AUFWÜHLEND
ERREGEND
ERSCHÜTTERND
RELIGIÖS
EINMALIG
LIEBE
ABENTEUER
NERVENKITZEL
SENSATION
GEWAGTES UNTERNEHMEN

Wie häufig nutzen Sie solche Wörter und Begriffe im Geschäftsalltag?

Meine Antwort: *vereinzelt, selten, nie.* Und doch: Je mehr die immateriellen Aspekte Ihres Wertschöpfungsversprechens an Bedeutung gewinnen, desto relevanter, nützlicher und wertvoller werden solche Ausdrücke.

Das Rad neu erfinden

Viele Menschen arbeiten für Harley-Davidson. Die gute Nachricht: Niemand von ihnen hegt die absurde Vorstellung, das Unternehmen verkaufe »*Motorräder*«.

Wenn nicht »Motorräder«, was dann?

Wie wäre es mit »Erlebnissen«?

Ein Harley-Insider beschrieb es einmal so: »*Wir verkaufen einem 43-jährigen Buchhalter die Möglichkeit, sich in schwarzes Leder zu kleiden, durch kleine Orte zu fahren und den Leuten Angst einzujagen.*«

Harley-Davidson verkauft keine Motorräder.

Club Med verkauft keinen Urlaub.

Klar, oder? Es ist das *Erlebnis!*

Insbesondere das Erlebnis, das Harley als »rebellischen Lebensstil« bezeichnet.

Vor einigen Jahren begegnete ich dem ehemaligen Harley-CEO Richard Teerlink, als wir in unterschiedlicher Richtung durch den Flughafen von Atlanta eilten. In den wenigen Minuten, die wir miteinander plauderten, fragte ich ihn, woher er komme und wohin er wolle. Er erwiderte, er sei gerade auf dem Rückflug von einem mehrtägigen Seminar an der Disney University. Das ist der Ort, an dem Disney Zivilisten wie uns beibringt, wie man seine Kunden mit Elfenstaub bestreut. Und genau das macht das Unternehmen Harley so besonders: Es bestreut seine Bikes und seine Biker mit Elfenstaub.

(Finden Sie es nicht bezeichnend, dass der CEO eines großen Herstellers als »ordentlicher Studierender« an einem »simplen« Schulungsprogramm teilnahm, das von einem Unternehmen der *Unterhaltungsbranche* ausgerichtet wurde?)

Harley-Davidson: ein »Erlebnis« und kein »Produkt«. Nennen Sie es eine semantische Haarspalterei. (Wenn Sie nicht anders können.) Ja, nennen Sie es eine semantische Haarspalterei. (Wenn Sie sich trauen.) Immerhin verbuchte Teerlink mit der Persönlichkeitsveränderung der Harley am Ende einen Erfolg, der sich in einer Steigerung des Marktwerts seines Unternehmens um mehrere Milliarden US-Dollar niederschlug.

Haarspalterei?

KURSWECHSEL

Vergessen Sie nicht, dass Teerlink mehrere Jahre – und Dutzende Präsentationen – benötigte, um die misstrauischen Wallstreet-Analysten davon zu überzeugen, dass Harley kein »Motorradhersteller« ist. Sondern ein »Lifestyle-Unternehmen«.

Das gewisse Etwas

Immer mehr Unternehmen folgen Harleys Beispiel.

»Club Med ist mehr als nur ein Urlaubsort«, schreibt Jean-Marie Dru in seinem Buch *Disruption – Regeln brechen und den Markt aufrütteln*, »es ist eine Möglichkeit, sich selbst wieder zu entdecken, wieder ein ganz neues ›Ich‹ zu entdecken.«

Design

Das unvergessliche Erlebnis

Semantisches Geplänkel? In dem Maße, wie es dem Feriendorfbetreiber gelingt, dieses Image zu etablieren (und das kann man wohl behaupten), ist er in der Lage, eine ganz neue Kundenschicht anzuziehen und entsprechende Preise zu verlangen – mit der Folge, dass Wachstum und Rentabilität Rekordhöhen erklimmen.

»Wir haben einen ›dritten Ort‹ geschaffen«, erzählte Starbucks-Managerin Nancy Orsolini in einem Fernsehinterview. »Und das, glaube ich, unterscheidet uns. Der dritte Ort ist ein Ort, der abseits von Arbeit und Zuhause liegt. Es ist ein Ort, an dem unsere Kunden Zuflucht finden.«

Ich weiß nicht, wie sie es anstellen! (Lesen Sie im Buch *Die Erfolgsstory Starbucks – Eine trendige Kaffeebar erobert die Welt* des Gründers Howard Schultz nach.) Aber entscheidend ist, dass sie es tun! Sie haben aus einer »unschuldigen Tasse Kaffee« eine »Starbucks-Lebensart« gemacht, mit der sich viele von uns bewusst oder unbewusst identifizieren können – bei einer Pause von wenigen Minuten am Flughafen oder einer halben Stunde in einem Starbucks in welcher Stadt auch immer, um die Zeitung zu lesen oder ein Kapitel dieses Buches zu redigieren.

»Guinness als Marke handelt in erster Linie von einer Gemeinschaft«, meint Ralph Ardill. »Menschen kommen zusammen und tauschen Geschichten aus.«

Ralph ist einer der Chefs von Imagination, einem innovativen britischen Unternehmen für Design, Marketing und Erlebnisgestaltung. Seine Agentur hat vor wenigen Jahren für Guinness ein spektakuläres Projekt fertiggestellt. Das sogenannte Guinness

Design

!

Das unvergessliche Erlebnis

ELEMENTARE REGEL: HALTE ORDNUNG!

Erlebnisqualität hat einerseits mit dem »gewissen Extra« zu tun. Andererseits müssen auch bestimmte Grundvoraussetzungen erfüllt sein. Elementare Regeln wie die, innerhalb der eigenen vier Wände Ordnung zu halten.

September 2004. Eines Wochenends besuchte ich die Filiale eines renommierten Einzelhändlers, die sich in einem riesigen Einkaufszentrum befindet. Erlebnismarketing? Dieser Einzelhändler versteht sein Geschäft. Und macht seine Sache ... wirklich gut.

Aber an diesem Samstag ... *ähnelte dieser Ort einem Katastrophenschauplatz.* Es war verdammt viel los. Die Kunden traten einander auf die Füße. (Glückwunsch.) Aber der Tag hatte mittlerweile seine Spuren hinterlassen. Ware lag ungeordnet herum. Die Auslagen waren durchwühlt. Der Dreck sammelte sich. Der ganze Platz schien zu schreien: »Wir kümmern uns einen feuchten Kehricht darum.«

Ein großartiges Erlebnis hat viele Komponenten. Zu den wichtigsten gehört diese: »WIR KÜMMERN UNS!« Und ein wichtiger Teil davon wiederum lautet: »WIR SORGEN FÜR ORDNUNG UND SAUBERKEIT.«

Guinness verkauft kein Bier.
Starbucks verkauft keinen Kaffee.

Storehouse in Dublin fängt als eine Art Heimathafen die Guinness-Seele ein.

Denken Sie darüber nach. Harley-Davidson verkauft keine Motorräder. Starbucks verkauft *keinen* Kaffee. Club Med verkauft *keinen* Urlaub. Und Guinness verkauft *kein* Bier.

Haben Sie jemals eine Harley gefahren, eine Club-Med-Anlage besucht, in einem Starbucks verweilt oder ein Guinness getrunken? Ich glaube, dass hier etwas »Zusätzliches« passiert. Und ich glaube, dass dieses »Zusätzliche« das eigentliche Fundament der Wertschöpfung darstellt.

WELTVERBESSERER

Okay, okay. Sie sind skeptisch. (»Guinness verkauft Bier und fertig.«) Diese Skepsis ist vollkommen verständlich.

Weil die meisten Unternehmen, die auf der »Erlebnisschiene« zu fahren versuchen, damit kläglich scheitern. Sie werden es nie begreifen. Sie retuschieren hier etwas ... und dort etwas ...

Aber im Fall von Harley-Davidson, Club Med, Starbucks und Guinness ist das »Erlebnis« – die »Lebensart« – mit dem Unternehmen identisch. Dieses »Erlebnis« ist ... extrem. Nicht ein bisschen »Spaß« hier und eine Prise »Lachen« dort. Sondern die Verkörperung eines völlig neuen Lebensgefühls.

Harley-Davidson-Welt.
Starbucks-Welt.
Club-Med-Welt.
Guinness-Welt.

Wie aus »Braun« ein »Erlebnis« wird

Ich widerspreche mir selbst an dieser Stelle. Einerseits habe ich »Mitleid für das arme Braun«, aber andererseits finde ich es fantastisch, wie die Farbe Braun und dieser Erlebnisbegriff von einem speziellen Unternehmen genutzt wird. Das weder Bier noch Kaffee verkauft. (Dinge.) Sondern Dienstleistungen. (Etwas Flüchtiges.) Eine neue Anzeigenserie bezeugt es. Und ein neues

---

IM GERUCH DES ...
ERLEBNISSES
Noch ein Paukenschlag aus Virginia Postrels *The Substance of Style*: »Mit ihrer sorgfältigen Mischung aus Farben, Materialien, Gerüchen und Musik ist die Kaffeehauskette Starbucks für unser Zeitalter typischer als der iMac. Sie ist für die Ästhetikära, was McDonald's für die Ära der Bequemlichkeit und Ford für die Ära der Massenproduktion waren – eine exemplarische Erfolgsstory, die alles Gute und Schlechte des ästhetischen Imperativs in sich vereint. ... ›Jede Starbucks-Filiale ist mit dem Ziel gestaltet, die Qualität sämtlicher Sinneseindrücke des Kunden zu verbessern‹, schreibt CEO Howard Schultz.«

Firmenlogo. Motto: *WAS KANN BRAUN FÜR SIE TUN?*

Modelltheoretische Betrachtung

Braun steht natürlich für ... UPS. Genial! Braun ist die trübste aller Farben. (Siehe Churchill und sein »Mitleid mit dem armen Braun«.) Beinahe eine Antifarbe. Und doch spielen diese einfarbig braunen Lieferwagen inzwischen eine große Rolle in unserem Leben.

UPS gibt sich große Mühe, das Image der »braunen Lieferwagen mit den braun behemdeten Fahrern« loszuwerden. UPS »positioniert« sich neu. Als vollwertiger Partner für Logistik und Lieferkettenmanagement.

UPS will Ihnen ein ... Erlebnis ... verkaufen. Und was für eine nette Art, es zu beschreiben: BRAUN. Dieses Erlebnis hat damit zu tun, dass jemand einen wichtigen Teil Ihres Geschäftslebens umfassend übernimmt, sodass Sie sich um die gesamte Logistik nicht mehr zu kümmern brauchen und gleichzeitig für Ihre geschätzten Kunden unglaublichen Wert schaffen.

Fragen Sie nicht mich. Rufen Sie UPS an und finden Sie heraus, was ... BRAUN FÜR SIE TUN KANN.

Die UPS-Sage fasziniert mich noch aus einem anderen Grund. Die vorigen Beispiele stammten aus der Konsumgüterwelt – Harley, Club Med, Starbucks, Guinness. Aber UPS verkauft ... professionelle Dienstleistungen. WAS KANN BRAUN FÜR SIE TUN? ist direkt an die Geschäftskunden gerichtet.

Modelltheoretische Betrachtung

Freeman Thomas war einer der Designer des neuen VW-Beetle und des Audi TT. Heute arbeitet er für Chrysler. Zum Plymouth Prowler erklärte er: »Automobildesigner erzeugen Geschichten.

Design

Das unvergessliche Erlebnis

ROT IST DIE FARBE DER ... DOSE
Farben sind ein seltsam Ding. Und ein mächtiges dazu.

Coca-Cola hat ROT »gepachtet«. Und GELB »gehört« (oder »gehörte«) Kodak.

Ebenso versucht das Unternehmen UPS, mit seiner Vermarktungskampagne seine Besitzansprüche auf die Farbe BRAUN zu zementieren.

Und dann ist da BP mit dem Versuch, die Farbe GRÜN mit Beschlag

zu belegen und damit seiner Branche (und sich selbst) ein neues Image zu verleihen.

Hmmm.

Vielleicht sind Farben der höchste Inbegriff von »Erlebnis«.

Jedes Modell bietet Gelegenheit, ein Abenteuer zu erzählen. […]
Der Prowler bringt Sie zum Lächeln. Warum? Weil er auf den
Punkt designt wurde, weil er ein ›Drehbuch‹, einen Lebenszweck
und Leidenschaft besitzt.«

Ich bin kein Autofanatiker, und ich interessiere mich auch
nicht für die Details dieses Prowlers. Aber mich interessieren
Wörter:

GESCHICHTE
ABENTEUER
LÄCHELN
DREHBUCH
LEBENSZWECK
LEIDENSCHAFT
ICH LIEBE ALLE DIESE WÖRTER.

Vergleichende Geschichtswissenschaft

Kurz nachdem ich obiges Zitat von Freeman Thomas las, hatte
ich Gelegenheit, die Wirksamkeit dieser Methode zu testen. Ich
arbeitete damals mit einem mittelgroßen Einzelhändler zusammen, der sein Kataloggeschäft deutlich verbessern wollte. Das
Warenangebot war erstklassig. Das Unternehmen hatte eine
exzellente Reputation. Aber aus irgendeinem Grund schien eine
»taktische Vermarktungsinitiative« nach der anderen wirkungslos
zu verpuffen.

Ich empfahl der Unternehmensführung, sich einmal ihren
Katalog vorzunehmen … und sich Gedanken über dessen »Erleb-

nisqualität« zu machen. Ich tat einen Schritt mehr und bot eine persönliche Einschätzung einer Reihe von Katalogen an, die ich zufällig auf meinem Weg zum Seminar eingesammelt hatte. Ich ließ mich sogar zu einer Bewertung auf einer Skala von 1 bis 10 hinreißen. Legende: 1 = fad und uninteressant; 10 = ein Erlebnis, das unter die Haut geht!

Williams-Sonoma. 5. War einst eine klare 10. Williams-Sonoma erfand die amerikanische Küche neu – gemeinsam mit Julia Child und noch vor Martha Stewart. Die Produkte, die das Unternehmen heute anbietet, sind von erster Qualität. Aber die »Geschichte« ist mittlerweile weniger spektakulär. Es fehlt das gewisse Etwas. Man fragt sich: Wo ist die Pointe?

Crate and Barrel. 8. Bis zu seiner Marimekko-Inkarnation war das Unternehmen vergleichsweise farblos und ließ mich entsprechend kalt. Andererseits verkörpert es eine klare Perspektive, ein »Drehbuch«. Und darin ist es meiner Ansicht nach äußerst erfolgreich.

Smith & Hawken. 8+. Gartenbedarf ist vielleicht nicht Ihr Ding. Macht nichts. Das Warenangebot ist gut. Die Story ist großartig. Smith & Hawken verkauft einen bestimmten »Lebensstil«.

Sharper Image. 9. Manche Sachen gefallen mir. Andere finde ich entsetzlich. Aber ich weiß, wie die Geschichte weitergeht – und kann es gar nicht abwarten bis zur nächsten Folge. (Das heißt, bis zum nächsten Katalog.)

L. L. Bean. 3. L. L. Bean verdient wahrscheinlich eine bessere Note. Ein Grund für meine negative Einstellung ist enttäuschte Anhänglichkeit. Denn ich erinnere mich noch gut an die Zeiten – viele Jahre ist es her –, als L. L. Bean wirklich ein »Drehbuch« anzubieten hatte. Damals konnte ich es nicht abwarten, den L.-L.-Bean-Katalog meines Vaters in die Hände zu bekommen, auch wenn ich mir finanziell nichts davon leisten konnte. Es war eine wilde, schillernde Geschichte nach Starbucks-Art. Die Produkte sind sicherlich immer noch von exzellenter Qualität.

Design

!

Das unvergessliche Erlebnis

»... mobile Skulpturen, die zufälli

(Die paar, die ich besitze, sind es.) Aber die Geschichte hat ihren Reiz verloren.

Als meine Klienten und ich von der trockenen Analyse zu Themen wie »Geschichte«, »Drehbuch« und »Erlebnis« wechselten, veränderte sich augenblicklich die Atmosphäre unseres Gesprächs. Begriffe wie »Markenanziehungskraft« oder »strategische Kohärenz« sagten ihnen wenig. Aber als wir auf das »Drehbuch« von Williams-Sonoma zu sprechen kamen, entwickelte sich ein lebhafter Austausch, in dem die Stichworte nur so prasselten.

SPRACHE ALS ERLEBNIS

Für die Teilnehmer jenes Seminars war das Denken in Begriffen wie »Drehbuch« eine wertvolle Übung ... oder sollte ich sagen »ein wertvolles Erlebnis«?

Weil auch Sprache ein Erlebnis ist. Wörter – wie »Geschichte«, »Plot« und ... »Erlebnis« – machen viel aus. Sie verändern die Art, wie wir auf ein Produkt, eine Dienstleistung – oder ein Seminar über Katalogmarketing reagieren.

Autosuggestion

Bob Lutz verändert, wie es scheint, im Alleingang das »Look and Feel« ... und das »Drehbuch« des einstigen Industriegiganten General Motors. Und er tut dies, denke ich, exakt entlang der in diesem Kapitel beschriebenen Dimensionen.

uch noch Transportpotenzial bieten.«

»Ich begreife unser Geschäft als ein künstlerisches«, sagte Lutz einmal. »Kunst, Unterhaltung und mobile Skulpturen, die zufällig auch noch Transportpotenzial bieten.«

Hier berühren sich Reifen und Straße, bildlich gesprochen.

Auch hier: Sie können Lutz' Statement als Schall und Rauch abtun. Oder Sie sagen wie ich, dass an diesem Punkt die offensichtliche Neuerfindung von General Motors einsetzt. Ein Erlebnisschwerpunkt. (Es geht nicht nur um die günstigen Finanzierungsangebote.) Und das Bewusstsein, im »Kunst-, Unterhaltungs- und Skulpturgeschäft«, das zudem elementare Mobilitätsbedürfnisse befriedigt, tätig zu sein.

Auch andere Autohersteller haben es mittlerweile begriffen, nachdem zwei Jahrzehnte lang nichts zählte außer Qualität – den Japanern sei Dank. Allmählich erinnern wir uns wieder daran, dass ein Auto Ausdruck unserer Person, ein wichtiger Teil unserer Identität ist. Sidney Harman ist der Gründer von Harman International, einem Anbieter von ausgefallenen Klangsystemen. Die

MODERNE RAUMFAHRT
Sidney Harman und Bob Lutz bilden die Speerspitze eines erstaunlichen Phänomens – der größten Transformation der Autoindustrie seit Jahrzehnten.

Im November 2002 erschien in der *Newsweek*

ein Artikel mit folgender Überschrift: »Das rollende Wohnzimmer: Die Autos der Zukunft werden intime Rückzugsmöglichkeiten bieten – mit Stimmungsbeleuchtung, Aromatherapie und Massagesitzen.

Für lange Fahrten: Filme und Popcorn.«
Wenn das kein Erlebnis ist!

Automobilindustrie und insbesondere Lexus bilden den Kern seiner außergewöhnlich effektiven Strategie. Harman ging kürzlich
so weit zu sagen: »Lexus verkauft Autos als Verpackung unserer
Soundsysteme. Das ist wunderbar.«

Klingt ziemlich selbstverliebt. (Ist es auch.) Klingt ziemlich
überheblich. (Ist es auch.)

Aber ich glaube nicht, dass es völlig aus der Luft gegriffen
ist. (Ist es nämlich nicht.)

In dieser nach wie vor gewaltigen Branche geht es immerhin
um viele Milliarden Dollar, und die Rückbesinnung auf »fantasie-
volle Autos« (herrliche Erlebnisse!) ist unübersehbar.

Die Zutaten des Kuchens

Unsere »Reiseführer« Joe Pine und James Gilmore sprechen von
einer »Erlebnisleiter«: Je weiter wir sie erklimmen, desto höher
die Wertschöpfung. Das untere Ende bilden die *»Rohstoffe«*. Als
Nächstes kommen die »Waren«. Dann die »Dienstleistungen«
und ganz oben schließlich die *»Erlebnisse«*.

Wir wollen diesen mächtigen Begriff anhand eines vergleichsweise einfachen Bildes untersuchen. Mein Freund Tim Sanders
ist ein hoher Executive bei Yahoo!. In seiner unwiderstehlichen
Art (ein Erlebnis für sich) ist er dort für den »Erlebnis«-Aspekt
des Internetanbieters zuständig. (Und darum geht es bei Yahoo!
ja in der Hauptsache.) Tim beschreibt »all dies« gern anhand des
Geburtstagskuchens aus vier Generationen:

1940. Die Rohstoffwirtschaft. Großmutter gibt etwa einen
Dollar für Mehl, Zucker und andere »Rohstoffe« aus. (Sicher,
Mehl und Zucker sind industriell hergestellte Produkte – aber Sie
wissen, was ich meine.) Aus diesen Rohstoffen stellt Großmutter
einen Geburtstagskuchen her. ($ 1.)

1955. Die Warenwirtschaft. Mutter geht in das nächste
Geschäft, gibt ein paar Dollar aus und bereitet den Kuchen aus
einer vorgefertigten Backmischung. ($ 2.)

1970. Die Dienstleistungswirtschaft. Backwaren sind auch
für normale Leute und nicht nur für die Reichen und Super-
reichen bezahlbar. Also geht Mutter am Geburtstag in die Bä-
ckerei und blättert 10 Dollar für einen professionell gebackenen
Kuchen hin. ($ 10.)

1990. Die Erlebniswirtschaft. Mittlerweile kümmert sich Va-

ter um den Geburtstag des Kindes. Das Kind legt die Regeln fest: »Papi, ich will eine Party. Bei Chuck E. Cheese. Und ich bringe alle meine Freunde mit.« Vater ist gnädig und spendiert einen Hunderter … für das »Erlebnis«. (\$ 100.)

Ein albernes Beispiel vielleicht. Aber ist es so viel anders als Starbucks? (Oder IBM Global Services?) Das Interessanteste an diesem Beispiel – das sich eins zu eins auf Starbucks, Harley-Davidson oder IBM übertragen ließe – ist, dass der große Sprung dort stattfindet, wo die »Erlebnisdimension« ins Spiel kommt. Im Fall des Kuchens: von 1 auf 2 Dollar, von 2 auf 10 Dollar und von 10 auf 100 Dollar. Der »Erlebnisaspekt« von Chuck E. Cheese »rechtfertigt« die letzten 90 Dollar!

AUFMASS

Wie viele andere glaube ich, dass »das geschieht, was gemessen wird«. Für eine neue Ära brauchen wir also neue Messkriterien.
  Rohstoffwirtschaft: *Quantität … ein praktisches Maß.*
  Warenwirtschaft: *Six Sigma … ein perfektes Maß!*
  Dienstleistungswirtschaft: *Kundenzufriedenheit … ein brillantes Maß!*
  Erlebniswirtschaft: *Kundenerfolg … ein unübertreffliches Maß!*
  »Kundenerfolg«: Imageveränderung durch einen Club-Med-Besuch.
  »Kundenerfolg«: Unternehmensveränderung mit professioneller Hilfe durch IBM Global Services. – Und, und, und …

Grenzenlos I: Spaßgesellschaft

Joe Pine erzählt eine wundervolle Geschichte von einem Nachbarn in Minneapolis. Robert Stephens besitzt ein kleines Unternehmen, das Computertelekommunikationssysteme installiert. Sogenannte Local Area Networks oder LANs. Das Unternehmen hieß dementsprechend LAN Installation Company.

So weit.

So gut.

Aber dann trafen sich Joe und sein Nachbar am Gartenzaun und sprachen miteinander über das »Erlebnis«-Thema. (Was beachtlich ist für einen »Techie«.) Um es kurz zu machen: Aus LAN Installation Company wurde ... halten Sie sich fest ... *The Geek Squad* (frei übersetzt: Die Freak-Truppe). Talentierte Netzwerkspezialisten, die solide Arbeit leisten, betonen jetzt Spaß, Energie, Spitzenkönnen, Zuverlässigkeit ... *das Erlebnis* ... hinter dem, was sie tun. Um diese lange Geschichte weiterhin kurz zu halten, sei noch gesagt, dass sie ihr Geschäftsvolumen rasch von zwei Prozent auf 30 Prozent aller LAN-Installationen in Minnesota ausweiten konnten.

Zu schildern, was in der Zwischenzeit noch alles geschah, würde den Rahmen dieses Kapitels sprengen, das lediglich dazu dienen soll, den Begriff »Erlebnis« einzuführen und ein wenig zu illustrieren.

Die Mitarbeiter gehören viel lieber zum »Geek Squad« als zur »LAN Installation Company«. Nicht, dass sie zuvor nicht technisch versiert gewesen wären – sie waren es und sind es noch. Nur ihr Selbstbild hat sich gewandelt. Heute sind sie *fliegende, ortsungebundene, unglaublich kompetente Problemlöser in diversen technischen Fragen.*

MEHR ALS EIN BÄRENDIENST

Nach 25-jähriger Tätigkeit für May Department Stores eröffnete Maxine Clark im Jahr 1997 ihre erste »Build A Bear«-Werkstatt in St. Louis im US-Bundesstaat Missouri. Sieben Jahre später stand sie einem unaufhörlich wachsenden 300-Millionen-US-Dollar-Unternehmen vor.

Als ich im Herbst 2004 einen Blick auf die Website des Unternehmens (www.buildabear.com) warf, kannte meine Begeisterung keine Grenzen. Für mich ist sie ... DIE BESTE WEBSITE, DIE ICH JEMALS SAH! Sie erfüllt alle Kriterien:

Einfach in der Anwendung! Höllisch informativ! Unglaublich interaktiv! Cool! Heidenspaß!

Kurz: nicht nur eine »Dienstleistung«, sondern ... ein FESSELNDES ERLEBNIS.

Grenzenlos II: Auf gute Nachbarschaft

Als ich über »all dies« nachdachte, stieß ich Mitte 2002 auf einen Artikel im *Wall Street Journal*. Daraus ging hervor, dass in Neuengland große ehemals beweidete Flächen mittlerweile wieder verwalden. Das hat unter anderem die explosionsartige Zunahme von Wildtieren zur Folge, die ihrer menschlichen Nachbarschaft mitunter das Leben ungemütlich machen.

Insbesondere die Biber sind ein Problem. Wenn Sie jemals einen Teich besaßen (ich habe drei), wissen Sie, dass ein Biber jedes baumähnliche Objekt fällen kann, das er benötigt, um den Weiherabfluss zu verstopfen und die wildesten Überschwemmungen anzurichten.

In der Vergangenheit rief man in so einem Fall die »Trapper« (Fallensteller). Und in Neuengland gibt es sie auch tatsächlich noch. Bis vor Kurzem verdienten sie rund 20 Dollar an jedem Biberpelz. Schließlich war es ihr Job, »Biber« in »Pelze« zu verwandeln. (»Rohstoff«-Wirtschaft?)

Aber nun kommt ein »Problem«. Zu viele vergleichsweise wohlhabende Leute leben inmitten zu vieler Wildtiere. Der gewitzte Trapper beschließt, dass er fortan kein »Trapper« mehr ist. Er mutiert zum *professionellen Wildschadensbegrenzer*. (Die »Erlebnis«-Wirtschaft lässt grüßen!) (Freak-Truppe im Rettungseinsatz!) Und … als professioneller Wildschadensbegrenzer berechnet er für die »Beseitigung eines Biberproblems« 150 Dollar statt der bisherigen 20 Dollar. (Wie das Unternehmen Carrier, das anstelle von Klimaanlagen »Kühlung« verkauft.) (»Entfernte« Biber statt »tote« Biber. Vielleicht.)

Einige Neubewohner hingegen lieben ihre Biber und wollen sie in der Nähe behalten. Nur wollen sie keine Überschwemmungen. Unser Wildschadensbegrenzer (mittlerweile volles Mit-

Design

Das unvergessliche Erlebnis

MANEGE FREI
Im Jahr 2003 hatte ich in Las Vegas einen freien Abend und nutzte ihn für meinen ersten Besuch im Cirque du Soleil.

WOW!

Ich werde nie wieder derselbe sein!

Jetzt *besitze* ich einen Goldstandard für Erlebnisse. Außerdem hatte ich eine praktische, geschäftsrelevante *Erleuchtung*. (Ein Wort, das ich eher selten gebrauche.) Ich verstehe einfach nicht, warum (beispielsweise) die Neugestaltung eines Geschäftsprozesses nicht dem Standard eines Cirque du Soleil entsprechen sollte. Sie, lieber Leser, sind ein stolzer Experte, nicht wahr? Warum sollte ihr Standard für Projekte – *Erlebnisse* – geringer sein als der Standard der Direktoren und Starartisten des Cirque du Soleil?

»Der professionelle Wildschadensbegrenzer?«

glied der PSF-Bruderschaft!) berechnet stattliche 750 bis 1000 Dollar für ein Flutbegrenzungsrohr, sodass die Biber bleiben können, aber keine Flutschäden mehr anrichten.

Willkommen in der Erlebnis- wirtschaft

Wunderbar.

Willkommen in der »Erlebniswirtschaft«.

Willkommen in der »Lösungswirtschaft«.

Willkommen in der Welt der professionellen Dienstleistungen.

Statt einen Hinterwäldler, der mit einem Schießeisen herumfuchtelt und pro Pelz 20 Dollar verlangt, haben wir heute einen professionellen Wildschadensbegrenzungsdienst und Lösungsanbieter, der für ein Erlebnis schnell mal 1000 Dollar berechnet.

(So ist das Leben.)

Metaphysische Welten

Der Einstieg ins »Erlebnis«-Geschäft ist (meist) eine Frage der Einstellung. Die erforderliche Verwandlung ist nicht einfach. »Die meisten Manager«, schreibt der dänische Marketingexperte Jesper Kunde in *Unique Now ... or Never*, »haben keine Vorstellung, wie Wertschöpfung in der metaphysischen Welt funktioniert. Aber genau danach wird der Markt in Zukunft lechzen. An [realen] Produkten herrscht hingegen kein Mangel.«

Jesper Kunde erwähnt Beispiele wie Nokia, Nike, Lego und Virgin – allesamt Meister des Erlebnisses und Hersteller und Ver-

Design

Das unvergessliche Erlebnis

---

markter realer Produkte mit einer metaphysischen Komponente. Aber wie viele Manager nehmen diese Beispiele – und Beispiele der oben genannten Art – ernst? So ernst, dass sie ihre Unternehmensstrategie grundlegend ändern? Wie viele hohe Herrschaften (und es ist kein Zufall, dass es zumeist Herren und keine Damen sind) fühlen sich in Kundes »metaphysischer Welt« zu Hause?

»M3«-PLAYER?

Kunde verfolgt seine »metaphysische« Idee noch einen Schritt weiter. Die CEOs von morgen, so Kunde, benötigen keinen MBA – Master of Business Administration –, sondern einen ... M3 – Master of Metaphysical Management. Kein Einspruch von meiner Seite. Ganz im Gegenteil.

Auf juckendem Fuße

Ich nahm an der ganztägigen Strategiebesprechung eines großen Einzelhändlers teil. Viel war die Rede davon, »die Konkurrenz zu schlagen« und »den ersten Platz zu belegen«. Ich war beeindruckt von der breiten Palette an Verkaufsaktionen (fast eine pro Regal), um die Kunden anzulocken. Mir schwindelte vor lauter neuen Programmen für dies und jenes und noch mehr.

Aber in meinen Füßen juckte es mich. Irgendetwas – aber was? – fühlte sich verkehrt an. Nun, vielleicht war es nur das thailändische Essen vom Vorabend.

Nach vollbrachter Arbeit fuhr ich in eine andere Stadt und schließlich nach Hause. Und immer noch gab mein Fuß, metaphorisch gesprochen, keine Ruhe.

Es traf mich wie ein Blitz: Unsere Einzelhändlerfreunde sprachen über tausend Details, ließen aber das Wesentliche aus.

DER RICHTIGE DREH
Halten Sie einen Augenblick inne und denken Sie über diese »Drehbuch«-Idee nach – im Hinblick auf die von Ihnen angebotenen Schulungsdienstleistungen (Erlebnisse!), die von Ihnen angebotenen Buchhaltungsdienstleistungen (Erlebnisse!) oder die von Ihnen angebotenen Konstruktionsdienstleistungen (Erlebnisse!).

Verbinden Sie Schulung, Buchhaltung und Konstruktion mit Begriffen wie: *Geschichte. Abenteuer. Lächeln. Drehbuch. Lebenszweck. Leidenschaft.* Schauen Sie, wie sich das auf Ihre eigene Erlebnisfähigkeit auswirkt.

ES GEHT UM DEN ...

MILLIARDEN- KUCHEN.

Was war das? Die Veranstaltung als Ganzes, das Abenteuer, die Geschichte, das Drehbuch, das »ganzheitliche« Erlebnis.

Wie fühlt es sich an, vom Parkplatz bis zur Kasse in einen Laden einzutauchen? Was ist das Gegenstück zu Niketown, Starbucks oder Disney? Wo ist die Magie?

Der CEO, glauben Sie mir, war keiner von der metaphysischen Sorte. Aber ich schrieb ihm einen leidenschaftlichen Brief. Nennen Sie es die Geschichte vom juckenden Fuß.

Wer weiß, aber mir scheint, ich hatte da etwas entdeckt. Etwas Großes und Gewaltiges.

Gelebtes Erlebnis

Lesen Sie die letzten Kapitel noch einmal. Achten Sie auf die stete logische Ideenfolge. Betrachten Sie die Beispiele. Denken Sie über andere Beispiele nach. Spielen Sie mit dem Wort »Erlebnis«.

Und dann? Sollten Sie einen Theaterregisseur in Ihrer Buchhaltung einstellen? Oder in Ihrer Produktentwicklung? Oder im Marketing?

Vielleicht.

Denken Sie Erlebnis. *Sprechen* Sie Erlebnis. *Betrachten* Sie Beispiele von Erlebnissen. *Analysieren* Sie diese Beispiele. Machen Sie dann etwas daraus und bedenken Sie dabei:

1. Dies ist keine semantische Spitzfindigkeit. Sondern Wesenskern der New Economy.

2. Für große Unternehmen stehen Milliarden und Abermilliarden US-Dollar auf dem Spiel. Und relativ gesprochen gilt dasselbe für den einzelnen Buchhalter oder den Biber-Trapper/ professionellen Wildschadensbegrenzer.

3. ES GEHT UM DEN … MILLIARDENKUCHEN.

GANZ PERSÖNLICH
Erlebnisse. Ich war selten, wenn überhaupt, von einem einzigen Wort so beeindruckt.

Mittlerweile sehe ich so gut wie alles durch eine neue Brille. »Wie fühlt sich dieses Erlebnis an?«

Das ist so ganz etwas anderes als: »Waren Sie mit der ›Dienstleistung‹ zufrieden?«

Ich würde so gern etwas von meinem Enthusiasmus für diese Idee auf Sie übertragen. Ich möchte in Ihnen dasselbe Feuer entzünden, das in mir brennt. Ich möchte, dass Sie in Zukunft keine einzige Transaktion mehr durch eine andere Brille als die des Erlebnisses betrachten.

TOP 10 TO-DOs

1. *Erleben Sie ... Sprache.* Rejustieren Sie Ihr Vokabular. Denken Sie über die Definition des Wortes »Erlebnis« nach. Lassen Sie seine vielen Permutationen ... auf sich einströmen.

2. *Erleben Sie ... die Welt.* Durchforsten Sie Ihr Gedächtnis nach Augenblicken, in denen alles zu stimmen schien (Zeit, Ort, Laune, Menschen). Machen Sie sich Notizen und ... werden Sie daraus klug.

3. *Erleben Sie ... »Leben«.* Verabschieden Sie sich von der Vorstellung, Starbucks verkaufe Kaffee. Das stimmt nicht. Nicht wirklich. Starbucks verkauft eine Lebensweise. Und wie sieht das »Leben« aus, das Sie verkaufen?

4. *Erleben Sie ... die Zwischennuancen.* Greifen Sie nach dem Unfassbaren. (Der Unterschied zwischen einer Harley und einer Feld-Wald-Wiesen-Kiste ist nichts, worauf wir ... den Finger legen können.)

5. *Erleben Sie ... »mehr«.* Angenommen, Sie sind im Autoteile-einzelhandel beschäftigt. Nehmen Sie einen Stift zur Hand und beschreiben Sie alles, was Sie für Ihre Kunden tun. Vermeiden Sie die Wörter »Auto«, »Teil« und »Handel«.

6. *Erleben Sie ... Spannung.* Erzählen Sie die Story, die Ihr Unternehmen durch alles, was es auf die Beine stellt, evoziert. Geben Sie dieser Story anschließend eine Note. Haben Sie bestanden? Mit Auszeichnung?

7. *Erleben Sie ... Wert.* Machen Sie die »Geburtstagskuchen«-Übung mit Ihrem Unternehmen und kalkulieren Sie die Vorteile eines Aufstiegs auf der Erlebniswertschöpfungsleiter.

8. *Erleben Sie ... Ihren Job.* Graben Sie Ihre offizielle »Arbeitsplatz-beschreibung« aus, entstauben Sie sie und formulieren Sie sie im Hinblick auf das Erlebnis, das Sie bieten oder bieten könnten, noch einmal von Grund auf neu.

9. *Erleben Sie ... Ihr Unternehmen.* Beurteilen Sie das »Wertangebot« Ihres Unternehmens aus dem Blickwinkel des ... Kunden-gesamterlebnisses. Zerlegen Sie es in seine Einzelteile. Erfinden Sie es neu.

10. *Erleben Sie ... Design.* Finden Sie ein Produkt, dessen Design Sie vollkommen fasziniert – beispielsweise einen iPod. Machen Sie sich klar, wie weit dieses Erlebnis über das coole Äußere des Geräts hinausreicht. Regel: Großartiges Design = großartiges Erlebnis.

COOLE FREUNDE: TOM KELLEY

Tom Kelley ist Geschäftsführer von IDEO, einem führenden Unternehmen für Designberatung mit Schwerpunkt Entwicklung und Innovation. Zusammen mit seinem Bruder und IDEO-Gründer David Kelley leitet er die Unternehmensbereiche Geschäftsentwicklung, Marketing, Personalführung und Tagesgeschäft. Hier sind einige Bemerkungen, die er anlässlich des Erscheinens seines Buches The Art of Innovation – Lessons in Creativity from IDEO, America's Leading Design Firm *(2001) zu Protokoll gab.*

Wir gehen beispielsweise in ein Meeting, in dem sechs Leute sitzen, die alle ihre 20 Jahre Branchenerfahrung haben. Und denen sollen wir helfen, innovativ zu werden. Das ist richtig schwierig. Zusammen haben sie 120 Jahre Berufserfahrung auf dem Buckel, und ich bin in ihrer Branche ein vollkommener Neuling. Aber eines unserer größten Geheimnisse ist, dass wir unsere Humanfaktorspezialisten, die in der Regel einen Abschluss in kognitiver Psychologie oder einem verwandten Gebiet haben, zu den Kunden – und manchmal auch zu den Nicht-Kunden – unserer Klienten schicken und sie im realen Kontext bei der Verwendung der betreffenden Produkte beobachten. So sehen wir, was funktioniert und was nicht.

Und wenn diese Unternehmen ähnliche Untersuchungen bereits angestellt haben, finden wir doch fast immer etwas, was sie übersehen oder dessen Bedeutung sie unterschätzt haben. Aus diesen Dingen beziehen wir unsere Erleuchtung: Hieraus erklärt sich die Magie des Prozesses.

* *

Niemand scheint sich die Mühe zu machen, Autos speziell für die Verwendung als Mietwagen umzugestalten. Warum ist das so? Wie groß ist die Gesamtflotte der gemieteten und geleasten Fahrzeuge in Amerika? Sie ist gigantisch.

In unserem eigenen Auto weiß unser Muskelgedächtnis, wo die Dinge sind. Wir wissen, wo der Scheibenwischerhebel ist und wo wir ziehen müssen, um die Tür zu öffnen. Nicht so in einem Mietwagen. ... Sie sitzen in einem Mietwagen, haben gerade den Motor abgestellt, das Licht ausgemacht und befinden

...ich in einer dunklen Parkgarage. Und nun brauchen Sie bis zu 20 Minuten, um den Türhebel zu finden. Einst war er ein dicker Metallbügel, der weit aus der Türfläche ragte, sodass man jedes Mal daran stieß, wenn man das Bein bewegte. Heute hingegen – was vermutlich sicherer ist – ist er in die Tür eingelassen. Aber wo zum Teufel? Oben, unten oder vorn? Wir können nur tastend unser Glück versuchen. Dabei würde es wirklich nicht die Welt kosten, den Hebel mit einem LED-Lämpchen zu versehen, das uns 30 Sekunden lang den Weg zum Türhebel weist – das würde die Batterie gar nicht merken.

* *

Mein Favorit unter den Produkten, mit denen wir zu tun hatten, ist der Defibrillator. Es handelt sich um ein Gerät, das heute in den meisten Flugzeugen mitgeführt wird und das bei einem Herzstillstand helfen kann. Es hat diese zwei Schaufeln. ... Im Prinzip bleiben uns nach einem Herzstillstand sechs Minuten zum Überleben. Unsere Chancen verringern sich mit jeder Minute um zehn Prozent, wobei sie auch zu Beginn bereits keine 100 Prozent betragen, weil wir ohne Atemtätigkeit auf dem Boden liegen. Selbst wenn neben uns ein Herzchirurg sitzt, kann er uns nur helfen, wenn ein Defibrillator zur Verfügung steht.

Also haben wir versucht, die Bedienungsschnittstelle dieses Gerätes so einfach wie möglich zu gestalten. Im Idealfall sollte sie so einfach sein, dass sich eine Anleitung erübrigt. Und weil dieses Gerät so einfach ist, konnten damit bereits viele medizinische Laien Leben retten. Soweit ich weiß, verdanken mittlerweile bis zu 60 Menschen dem Gerät ihr Überleben. Wir haben also einen eigentlich höchst komplexen Vorgang so vereinfacht, dass meine Tochter, als sie sechs Jahre alt war, damit zurechtgekommen wäre.

* *

Es gibt diese Formulierung: »Konzentrieren wir uns auf die Verben statt auf die Substantive.« Damit ist gemeint: Insbesondere zu Beginn eines Projekts geraten wir häufig auf Abwege, wenn wir uns zu stark auf den Gegenstand konzentrieren. ...

Hinter dieser Vorstellung vom verbalen im Gegensatz zum substantivischen Denken steht die Idee von der Gestaltung eines Erlebnisses anstelle eines Gegenstandes. Und wenn wir unsere

Humanfaktorbeobachtungen anstellen, achten wir nicht auf den Gegenstand, sondern auf die Menschen und wie sie die Interaktion mit dem Gegenstand erleben.

* *

Vor Kurzem bot sich uns die Gelegenheit, Erlebnisse ganz ohne realen Gegenstand zu gestalten. Wir halfen Amtrak, eine Servicestrategie für den Acela Express zwischen Washington D. C. und Boston zu entwerfen.

Und im »Steelcase« am Columbus Circle in New York City waren wir an der Ausgestaltung eines Möbeleinkaufserlebnisses beteiligt. Auch hier waren kaum reale Gegenstände im Spiel. Wir beobachteten die Leute dabei, wie sie sich Gedanken über die Anschaffung bestimmter Büromöbel machten, und bemühten uns, diesen Prozess zu verbessern. Und tatsächlich hören wir nun, dass die Menschen länger am Ort verweilen und mehr kaufen. So etwas finden unsere Klienten natürlich gut. ...

Eines meiner besten Erstbesuchserlebnisse hatte ich in diesem Gebäude. Auch wenn IDEO hier wohl keine Aktien im Spiel hat, werde ich, kaum dass ich den Fahrstuhl verlasse, von dieser äußerst zuvorkommenden Dame empfangen, die hinter ihrem Tisch hervorkommt und sagt: »Willkommen bei Steelcase. Bitte nehmen Sie im Café gegenüber Platz und trinken Sie eine Tasse Kaffee.« Ich folge ihrer Wegbeschreibung und entdecke dieses zauberhafte Café, das mit seinem Panoramaausblick auf den Central Park ein vollwertiges Restaurant abgeben würde. Wow, denke ich, das gefällt mir. Auf die angenehmste Art fühl ich mich aufgenommen von den Mitarbeitern ebenso wie von den Räumlichkeiten. Obwohl ich 15 Minuten warten muss, bin ich regelrecht glücklich. Das ist ein wahrlich gut gestaltetes Erstbesuchererlebnis.

* *

Kinder sind in der Regel kreativer als Erwachsene, weil sie unverkrampfter sind.

In vielen Unternehmen, besonders in den großen, verkrampfen die Menschen. Sie beginnen, sich an Regeln zu klammern: »Der Chef hat wenig Sinn für Humor. Scherze, die er in den falschen Hals bekommen könnte, sollten unterbleiben. Auch geht es nicht an, dass jeder seine eigenen Kunstwerke an die Bürowand hängt.«

Aber wenn wir die Uhr ein wenig zurückdrehen und uns an unsere Kindheit erinnern, können wir auch ein Stück der verlorenen Kreativität wiedergewinnen. ... Im Kindergarten wissen alle, dass es völlig okay ist, sämtliche Tische gegen die Wände zu stellen, um in der Mitte mehr Spielfläche zu haben, oder sie zusammenzurücken, um gemeinsam Kunstwerke zu fabrizieren. Niemand hat das Gefühl, er müsse erst um Erlaubnis fragen. Kinder tun einfach das Naheliegende.

Indem die Unternehmen weniger Möbel fest installieren, schaffen sie sich die Freiheit, andere Dinge zu tun.

* *

Denken Sie an Geschäftskalender. Seit Urzeiten führen Geschäftsleute Kalender, in denen sie ihre Termine festhalten. Richtig? Aber lange Zeit war dies ein Gegenstand auf ihren Schreibtischen. Ihre Sekretärinnen ... kamen von Zeit zu Zeit herein und notierten etwas darin, und wenn jemand den Zeitplan eines anderen einsehen wollte, ging er zu dessen Tisch und schaute in seinen Kalender.

Dann kamen Day-Timer und ähnliche Dinge auf den Markt und machten aus der Zeitplanung eine persönlichere Angelegenheit. Der Kalender wurde transportabel, und ohne ihn ging gar nichts mehr. Der Palm brachte uns schließlich ins elektronische Zeitalter. Ich finde ihn tatsächlich nützlicher als den Day-Timer, weil ich ihn auf vielfältige Weise durchsuchen kann und weil er nicht auf ein Jahr beschränkt ist. Und damit bekommt er etwas sehr Persönliches. ...

Ein Produkt oder eine Dienstleistung so persönlich zu gestalten, dass sie sich wie zu uns gehörig anfühlt, ist sicherlich eine Möglichkeit, um Markentreue zu entwickeln oder die Kundenbeziehung zu intensivieren.

4

ERLEBNISPLUS:
TRÄUME
SIND UNSER GESCHÄFT

Kontraste

Früher	Heute
»Bloße« Erlebnisse (gut genug für Kapitel 3)	Wilde Träume und Traumerfüllungen
Gut gemachte Dinge	Nicht für möglich gehaltene Dinge
»Es ist verdammt gut«	»Sie können so was wirklich?«
Zufrieden	Begeistert
Überrascht	Überwältigt
An Kunden verkaufen	Kunden in Versuchung bringen
»Ich bin nicht sicher, ob ich es brauche«	»ICH MUSS ES HABEN, SOFORT«

!Tirade

Wir sind nicht vorbereitet ...

Wir hängen immer noch in der Old Economy, IM ALTEN PRODUKTDENKEN FEST. • Aber wir müssen – jeder von uns – von Unternehmen wie der Virgin Group lernen und uns »strategisch« darauf einstellen, **DASS AM ENDE DIE MEISTER DES TRAUMGESCHÄFTS DIE GEWINNER SEIN WERDEN.**

!Vision

Ich stelle mir vor ...

Total »verrückte« Schulen ... Kranken-
häuser ... Kriegsführungsmethoden ...
Unternehmen.

Permutationen und Kombinationen, deren
Resultate **weit über simple Dienstleistungen
hinausweisen**

**(»WIRKLICHKEIT GEWORDENE UNMÖGLICHE
TRÄUME«).**

Er ist eben verträumt

Ich liebe die »Erlebnis«-Idee. (Im letzten Kapitel habe ich versucht, einige Dimensionen meiner »heißen« Liebesaffäre zu beschreiben.) Diese Idee ist für viele ziemlich ungewohnt im Vergleich zu unserer üblichen »geschäftlichen« Auffassung von Produkten und Dienstleistungen. Aber vielleicht reicht unsere Vorstellungskraft sogar noch weiter. Viel weiter?

Der Einsatz ist hoch. Es geht – wieder einmal – um Zigmilliarden Dollar.

Also hier ist die nächste (für die Geschäftswelt) ungewohnte Vokabel: *Träume.*

Nun, dieses Wort/diese Idee geht weit über die bereits durch unseren Ausflug ins »Erlebnisreich« strapazierte Bequemlichkeitszone des traditionellen Bauingenieurs hinaus.

Die Macht des »Traums« erschloss sich mir, als ich das Glück hatte, an einer Präsentation teilzunehmen, die Ferraris ehemaliger Nordamerikachef Gian Luigi Longinotti-Buitoni in Mexico City hielt. Träume sind sein Spezialgebiet.

Traum-Produkte.

Traum-Erfüllungen.

Traum-Marketing.

Traum-Erzeugung.

Nehmen Sie beispielsweise folgendes Zitat von Longinotti-Buitoni: »Ein Traum ist ein perfekter Augenblick im Leben eines Kunden. Wichtige Erlebnisse, für die der Kunde versucht ist, substanzielle Ressourcen zu opfern. Die Essenz der Kundenwünsche. Die Chance, dem Kunden dabei zu helfen, das zu werden, was er sein will.«

Was für schöne Worte! »Perfekter Augenblick.« »Versuchung.« »Opfer.« »Essenz.« »Wünsche.«

Und als Zusammenfassung: »Die Chance, dem Kunden dabei zu helfen, das zu werden, was er sein will.«

TRAUMFABRIK

Aus dem *Krüger Lexikon der Synonyme:* »Traum: Begehren, Gesicht, Illusion, Sehnsucht, Traumgesicht, Verlangen, Wachtraum, Wunsch(traum), Begehren, Herzensbedürfnis, Herzenswunsch, Sehnsucht, Verlangen, Wunsch, Wunschtraum«.

Margin text (left side):

Design

!

Träume sind unser Geschäft

Ich bin mir nicht sicher, ob ich alle diese Wörter vollkommen verstehe. Aber ich erahne den Sinn. Und wenn ich sie vollkommen verstünde, würde mir vermutlich ... der Mund vor Staunen offen bleiben! Ja, richtiger Ausdruck: vor Staunen offen bleiben!

Die Tragödie der Gewöhnlichkeit

Longinotti-Buitoni unterscheidet zwischen »gewöhnlichen Produkten« und »Traumprodukten«:

GEWÖHNLICHE PRODUKTE		TRAUMPRODUKTE
Maxwell House	... *kontra* ...	**Starbucks**
Payless	... *kontra* ...	**Ferragamo**
Hyundai	... *kontra* ...	**Ferrari**
Suzuki	... *kontra* ...	**Harley-Davidson**
Atlantic City	... *kontra* ...	**Acapulco**
New Jersey	... *kontra* ...	**Kalifornien**
Carter	... *kontra* ...	**Kennedy**
Connors	... *kontra* ...	**Pelé**
CNN	... *kontra* ...	**»Wer wird Millionär?«**

Design

Träume sind unser Geschäft

Grundsätzlich ist gegen die ersten Glieder eines jeden Paares nichts zu sagen. Sie alle bieten solide, alltägliche Lösungen für bestimmte Bedürfnisse. Aber die zweiten Glieder ... nach dem »kontra« ... bezeichnen »Dinge«, deren Traumqualität weit über den Bereich der reinen »Bedürfnisbefriedigung« hinausreicht.

Geschichten aus ... tausend und einem Traum

Longinotti-Buitoni predigt die »Vermarktung von Träumen« – und verwendet dafür eine eigene Wortschöpfung: Dreamketing, also *Traummarketing*. Ein etwas sperriger Ausdruck, besonders für ein derart ästhetisch aufgeladenes Thema.

IN EIGENER SACHE

Winston Churchill sagte: »Wir formen unsere Gebäude, danach formen sie uns.« Ich sage: »Wir formen unsere Worte, danach formen sie uns.«

Etwas Eigenartiges geschieht, wenn wir über »Träume«, »Traummarketing« und »Erlebnisse« sprechen. Wir sehen die Welt durch eine neue Brille.

Richtig, ich spreche und schreibe für meinen Lebensunterhalt. Wörter sind deshalb *alles* für mich. Aber eines meiner Ziele in diesem Buch – und überhaupt – ist, Sie in dieselbe Art von Wortfanatiker zu verwandeln, wie ich es bin.

Dennoch fasziniert mich der Gedanke:

Traummarketing: Spricht die Träume der Kunden an.

Traummarketing: Die Kunst des Geschichtenerzählens und der Unterhaltung.

Traummarketing: Nicht Produkte, sondern stattdessen Träume vermarkten.

Traummarketing: Die Marke um den Haupttraum herum aufbauen.

Traummarketing: Wirbel, Begeisterung und Ekstase erzeugen.

Longinotti-Buitoni führt zudem harte Finanzdaten an, die klar demonstrieren, dass sogenannte »Traumprodukte« nicht nur die Kunden zufriedenstellen, sondern auch den Anteilseignern Renditen sichern, die weit über denen von »gewöhnlichen« Produkten liegen.

Das ist keine Spinnerei. Sondern die nüchterne Botschaft eines praxisversierten Geschäftsmannes, der einige beachtliche Franchiseunternehmen geschaffen und weiterentwickelt hat. Es lohnt sich, wie ich finde, ihm zuzuhören – besonders im Licht des grundlegenden Gedankengangs, den ich in diesem Buch zu entwickeln versuchte. Als ich nämlich von völlig veränderten Wertschöpfungsquellen und einer völlig veränderten Wirtschaft sprach.

EXTREMER TRAUM

Vergessen Sie nicht den Kontext. Fast alles »funktioniert«. Und zwar verdammt gut. Was also geht über »gutes Funktionieren« hinaus?

Begeisterung. Ja.

Überraschung. Ja.

Dinge, die zuvor unmöglich erschienen. Ja.

Kunden, die werden, was sie sein wollen. Ja.

Worauf ich hinaus will? Dass Sie die Messlatte höher legen. SEHR VIEL HÖHER.

Sagen Sie »Erlebnisse«. (SAGEN SIE ES.) Sagen Sie »Träume«. (VERDAMMT NOCH MAL!)

(Bitte.)

Projekt: Traum

Ich hoffe, dass Sie mir folgen. Ich hoffe, dass Sie mit den Ideen dieses Kapitels spielen (richtiges Wort) und deren Anwendung auf Ihr gegenwärtiges Projekt erwägen werden.

(In der Finanzabteilung.)

(In der Beschaffungsabteilung.)

(In der Personalabteilung.)

(In der Konstruktion.)

(In der Informationstechnologie.)

Hier sind Ihre Instruktionen: ERFINDEN SIE DAS PRODUKT NEU. RUHEN SIE NICHT, BIS DAS PROJEKT DEN VON LONGINOTTI-BUITONI VORGESTELLTEN TEST DES TRAUMMARKETINGS BESTEHT. BIS SIE JENE »SUZUKI«-SCHULUNG IN EINE »HARLEY-DAVIDSON«-SCHULUNG UND JENEN GESCHÄFTSPROZESS À LA »MAXWELL HOUSE« IN EINEN GESCHÄFTSPROZESS À LA »STARBUCKS« VERWANDELT HABEN.

Denken Sie an eine Abteilung – heutiger Name: PSF – in Ihrem Unternehmen. Sollte deren »Schulungskurs« nicht die Weltsicht eines jeden Teilnehmers radikal verändern?

JA. (VERDAMMT NOCH MAL!)

Sollte das nächste »Business-Process-Reengineering«-Projekt nicht eine Übung in Traumerfüllung sein?

JA. (VERDAMMT NOCH MAL!)

Warum sich mit einem Projekt herumschlagen, wenn es kein Traummarketing-Projekt ist, das die Perspektive der Konstrukteure ebenso radikal verändert wie die der Nutzer?

Schlüsselwörter:

PERSPEKTIVE.

RADIKAL.

VERÄNDERN.

Design

Träume sind unser Geschäft

ZUKUNFTSTRÄUME

Der »Traum«-Raum ... gewinnt Kontur.

Rolf Jensen, der Leiter des Copenhagen Institute for Future Studies, schreibt in seinem Buch *The Dream Society – How the Coming Shift from Information to Imagination Will Transform Your Business:* »Über der Informationsgesellschaft geht die Sonne unter – noch bevor wir als Individuen und Unternehmen uns ganz auf sie eingestellt haben. Wir lebten als Jäger und Bauern, schufteten in Fabriken und leben heute in einer informationsbasierten Gesellschaft rund um den Computer. Der fünfte Gesellschaftstyp steht unmittelbar bevor: die Traumgesellschaft! ... Die Zukunft ist bereits deutlich zu erkennen. Die Zeit für Weichenstellungen ist gekommen – bevor die Menschen beginnen, sich bei ihren Kaufentscheidungen fast ausschließlich von gefühlsmäßigen, immateriellen Erwägungen leiten zu lassen. Die Produkte der Zukunft müssen unsere Herzen und nicht unsere Köpfe ansprechen. ... Es ist Zeit, Produkten und Dienstleistungen emotionalen Wert zu verleihen.«

Träume!
Träume!
Träume!

Nike. *Mehr als Hochleistungs-bekleidung. Eher: Das Versprechen eines Hochleistungslebens.*

Porsche. *Gelegentlich etwas schwer zu fahren? Stimmt. Macht aber nichts: ICH BIN MEIN PORSCHE.*

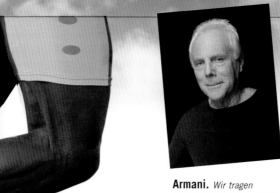

Armani. *Wir tragen Armani. Wir werden selbst Armanis.*

Google. *Eine alles umfassende Suchmaschine. Wie schrieb ein Kommentator so schön: »Google ist ein bisschen wie Gott.«*

Virgin. *Fliegen Sie mit Virgin. Seien Sie cool.*

Intel Centrino. *Ein unsichtbarer Chip? Nein! Die Garantie eines modernen Lebens durch faszinierende Technologie.*

Design

Träume sind unser Geschäft

Traumlogik

Longinotti-Buitoni bietet speziellen Rat für diejenigen, die aus ihrem Projektteam ein Traumteam machen wollen:

- Maximieren Sie Ihre Wertschöpfung, indem Sie die Träume Ihrer Kunden erfüllen.
- Investieren Sie nur in Dinge, die für Ihre Kunden Wert haben.
- Setzen Sie zugunsten kurzfristiger Gewinne nicht den langfristigen Wert Ihrer Marke aufs Spiel.
- Ergänzen Sie rigorose Finanzkontrolle mit emotionalem Management Ihrer Marke.
- Errichten Sie eine risikofreundliche Finanzstruktur: KEIN RISIKO – KEINE TRÄUME.
- Setzen Sie auf langfristige »Preismacht« zur Vermeidung der Commodity-Falle.
- Wählen Sie einen »kreativen Kopf« zum kulturellen Hauptverantwortlichen, der dem Unternehmen eine ästhetische Perspektive gibt.
- Stellen Sie ein breites Spektrum an Leuten ein: Wählen Sie Mitarbeiter aus unterschiedlichen Kulturen und mit unterschiedlichen Biografien, um die finanzielle Disziplin mit emotionaler Vielfalt zu ergänzen.
- Erzeugen Sie leidenschaftlichen Arbeitseifer durch vorgelebte Vision und Freiheit.
- Denken Sie langfristig: Kreativität ist eine Lebensaufgabe.

Der »Null-Fehler«-Fehler

Verteidigungsminister Donald Rumsfeld war entschlossen, das US-Militär umzugestalten. Er war überzeugt, dass das Militär eine

echte Revolution und völlig neue Leistungsszenarios benötigte. In
zwei Wörtern: neue Träume.

Aber er kämpfte gegen ein starkes Bollwerk an: hyperkonser-
vative Admiräle und Generäle. »Im modernen Militär«, schrieb
Newsweek in einer Titelgeschichte über Rumsfeld, »ist für Ri-
siken, die die Lebensläufe aufsteigender Stars trüben könnten,
kein Platz. ›Null Fehler‹ und ›null Toleranz‹ sind verbreitete
Schlagwörter.«

Und »völlig neue Leistungsszenarios« lassen sich schwerlich
erreichen, solange Führungskräfte dem »Null-Fehler«-Ideal an-
hängen.

Ohne »mutige« Niederlagen keine »großen« Erfolge.

PUNKT.

AUS DIESER LOGIK GIBT ES KEIN ENTRINNEN.

Traummetrik: Jenseits von »fehlerfrei«

Unser Gewährsmann Longinotti-Buitoni betont, dass »null Fehler« und andere sterile Qualitätskriterien lediglich ein Ausgangspunkt sein können. Seine bevorzugten Kriterien:

- »Liebe auf den ersten Blick«
- »Design für die fünf Sinne«
- »Sukzessive Ausweitung des großen Traums«
- »Verführung durch die peripheren Sinne«

Zu allen diesen Punkten sage ich: JA. JA. JA. JA. Und noch
mal JA.

Verstehe ich dies alles ganz und gar? Nein! Aber ich habe
auch niemals etwas geschaffen wie Starbucks, Victoria's Secret,
Ferrari oder Harley-Davidson. (Oder IBM Global Services!) (Oder
das neu entdeckte BRAUN/UPS.)

Design

Träume sind unser Geschäft

Aber denken Sie darüber nach. Stellen Sie sich beispielsweise einen umständlichen Geschäftsprozess vor, der sich danach sehnt, zu einem wahr gewordenen Traum zu werden. Wenden Sie dann Longinotti-Buitonis Kriterium Nr. 1 an: »Liebe auf den ersten Blick«.

Das leuchtet mir ein. Für ein Produkt, eine Dienstleistung oder eine »Lösung«. Für einen Geschäftsprozess. (Siehe oben.) Für eine Schulung. (Siehe oben.) Und für ein neues Produkt oder eine neue Werbekampagne.

Wenden Sie als Nächstes Longinotti-Buitonis weitere Traumkriterien an:

Design für die fünf Sinne!

Sukzessive Ausweitung des großen Traums!

Verführung durch die peripheren Sinne!

Noch einmal mit Gefühl, bitte!

Eines der häufigsten Kriterien für Qualität und Kundenzufriedenheit ist die »übertroffene Erwartung«.

Oh, wie Sie mich damit jagen können!

Angenommen, Sie besuchen das siebte Playoff-Spiel der Western Conference NBA im Juni 2002. Sie sehen die Los Angeles Lakers gegen die Sacramento Kings antreten. Es ist eine »außergewöhnliche« Begegnung. (Oder so ähnlich.)

Angenommen, Sie sind mit einem Freund gekommen. Während Sie anschließend die Arco Arena in Sacramento verlassen, lebt die Aufregung des (gewonnenen oder verlorenen) Spiels in Ihnen fort. Sie drehen sich zu Ihrem Freund, den Sie seit 25 Jahren kennen, um und sagen: »Weißt du, George, dieses Basketballspiel hat meine ›Erwartungen übertroffen‹.«

NATÜRLICH SAGEN SIE NIEMALS SOLCHEN BLÖDSINN.

TRAUMGESCHÄFT

Zwei aufschlussreiche Zitate von zwei meisterhaften »Traumspinnern«:

Judy George von Domain Home Fashions: »Wir verkaufen bei Domains nicht ›Möbel‹. Wir verkaufen Träume. Wir tun dies, indem wir die halb entwickelten Wünsche in den Köpfen unserer Kunden ansprechen. Wir legen diese Wünsche frei, vervollständigen sie und verwandeln sie in ›Träume‹, denen sich die potenziellen Kunden nicht entziehen können.«

Martin Feinstein von Farmers Group: »Wir verkaufen nicht mehr nur Versicherungen. Heute bieten wir unseren Kunden Produkte und Dienstleistungen, die ihnen helfen, ihre Träume zu verwirklichen, sei es finanzielle Sicherheit, ein Auto, Hausreparaturen oder gar ein Traumurlaub.«

Sie
SCHREIEN!
Sie
BRÜLLEN!

Die Luft ist voller Kraftausdrücke!

Adjektive der außergewöhnlichsten Art zerreißen den Himmel!

Es war ein … außergewöhnlicher Augenblick. Ein … außergewöhnliches Ereignis. (Ob gewonnen oder verloren – ein Traum ist wahr geworden, weil … Sie dabei waren.)

Wie ich anfangs sagte: Ich bin ein unverhohlener Business-Fan. Ich bin überzeugt, dass unsere Unternehmen, ob öffentlich oder privat, unglaublich kreativ sein können. Ich bin überzeugt, dass sie ihren Beschäftigten, Lieferanten und Kunden außergewöhnliche Erlebnisse bieten können.

Ich glaube an »Emotionen«.

Ich glaube an »Erlebnisse«.

Ich glaube an »Träume«.

Ich glaube an Sprache.

Extreme Sprache. Emotionale Sprache. Sprache, die unser Interesse weckt. Sprache, die uns begeistert.

Ich glaube an »Träume«.

Hundetage

Man könnte meinen ... in Anbetracht meiner Vorliebe für »stimmungsvolle« Ausdrücke ... dass ich selbst immer in »Stimmung« bin. Stimmt aber nicht. Ich kenne total verkorkste Tage, in denen ich mich mit Mühe aus dem Bett quäle und zu einem langen Spaziergang mit meinen Hunden aufraffe. Das Hundeerlebnis wirkt bei mir besser als jedes Psychopharmakon.

Anschließend ... mache ich so weiter. Ich schleppe mich zurück ins Schlachtengetümmel – nicht, um »ein Projekt abzuschließen« oder »eine Rede vorzubereiten«, sondern um ein Projekt oder eine Rede in ein (potenziell) mitreißendes Erlebnis für jemand anderen zu verwandeln.

Meine größte Angst ist ... dass ich womöglich eines Tages abtreten muss ... ohne der Welt etwas Bedeutsames hinterlassen zu haben. Ohne die Welt ... ein wenig besser gemacht zu haben.

So verbringe ich meine Tage zwischen meinen Hunden und der Möglichkeit, Erlebnisse zu produzieren, die »zählen« (funkeln!). Und dabei geschieht etwas Erstaunliches: Sobald ich meine eigene Begeisterung entfache, schlägt mir ebensolche Begeisterung von anderen entgegen. Botschaft: Begeisterung provoziert Begeisterung. Knallbunte Worte provozieren knallbunte Reaktionen.

Design

Träume sind unser Geschäft

Botschaft:

BEGEISTERUNG PROVOZIERT ENTHUSIASMUS. KNALLBUNTE WORTE PROVOZIEREN KNALLBUNTE REAKTIONEN.

Traum und Wirklichkeit

Wenn Sie sich erst einmal mit Wörtern wie »Traum« und »Traummarketing« (in der Wirtschaft ... im Militär) angefreundet haben, wird Ihnen auch ein Wort wie MUT nicht mehr fremd erscheinen.

In einer E-Mail bot mir der Produktentwicklungs- und Marketingexperte Doug Hall einen brillanten Schluss für die letzten beiden Kapitel an:

»Das Internet ist der effektivste Profitkiller der Welt. Es fördert einen WIRKLICH FREIEN MARKT [auch er liebt Großbuchstaben! – TP]; und ein ECHTER freier Markt ist besonders gefährlich für Unternehmen, die immer weiter DENSELBEN ALTEN KRAM verkaufen. Für Unternehmen mit MUT [TRÄUMEN? – TP] sind freie Märkte ideal, weil sie die Mutlosen hinwegfegen und so Raum für ein profitables Wachstum schaffen.«

Hut ab vor ...

SCHILLERNDEN ERLEBNISSEN

TRAUMMARKETING

DRAMATISCHEN UNTERSCHIEDEN

HEISSEN WÖRTERN

GROSSBUCHSTABEN

MUT

DOUG HALL

Und zum Teufel mit »Büroklaverei« und »Fehlerfreiheit«! Träume. Ganz neue Möglichkeiten. Unglaubliche Fantasie. ICH RATE IHNEN DRINGEND, INS »UNGLAUBLICHE FANTASIEGESCHÄFT« EINZUSTEIGEN.

Werden Sie meinen Rat befolgen? Werden Sie den Nichtanonymen Träumern beitreten? Diesen mutigen Seelen, die gewillt sind, (zunehmend mögliche) unmögliche Träume zu verwirklichen?

IM TAL DER ... TRÄUME Meine Entschuldigung, warum ich so vernarrt bin in die Begriffe »unglaubliche Fantasie« und »unmögliche Träume«? Antwort: meine mehr als 25 Jahre in Silicon Valley. Wo stets von Neuem die Davids den Goliaths die Stirn boten, nur um anderntags selbst zu verwundbaren Goliaths zu werden.

Ein Land der Dramen. Und der wahr gewordenen Träume (und Albträume).

In Silicon Valley habe ich mich verliebt. In Steve Jobs. Scott McNealy. Larry Ellison. Jim Clark. Menschen, die ... *größer waren als das Leben*. Menschen, die ... *TRÄUME* hatten.

TOP 10 TO-DOs

1. *Stellen Sie Ihr Vokabular auf die Probe.* W-e-i-t- e-n Sie es. Lernen Sie, beherzt und mit entspanntem Gesicht das Wort »Traumerfüllung« auszusprechen.

2. *Verlassen Sie den »gewöhnlichen« Markt.* Studieren Sie Longinotti-Buitonis Liste gewöhnlicher Produkte. Und studieren Sie ... noch genauer ... seine Liste von Traumprodukten. Jetzt: Schlagen Sie sich auf die richtige Seite.

3. *Verbannen Sie die »Null«.* Durchkämmen Sie die Richtlinien und Praktiken Ihres Unternehmens und tilgen Sie jede Spur von »Null-Fehler«-Denken ... dem Albtraum jedes Träumers.

4. *Führen Sie neue (mutige) Messkriterien in Ihrem Unternehmen ein.* Beispiel: »Wie gut sind wir in puncto ›Liebe auf den ersten Blick‹?«

5. *Denken Sie an die Zukunft.* Managen Sie Ihr Unternehmen finanziell und auch sonst in langen Zeiträumen. Ein Traum lässt sich nicht an einem Tag (oder in einem Quartal) hervorzaubern.

6. *Seien Sie für Überraschungen gut.* Fragen Sie sich selbst: »Worin besteht der Unterschied zwischen ›traumhaft‹ und ›gewöhnlich‹? Antwort Nr. 1: Ein Traum haut um. Das Ziel lautet folglich ... business as unusual.

7. *Ändern Sie den Kurs.* Machen Sie aus Ihrem ach so »gewöhnlichen« Schulungskurs ... nicht nur ein fabelhaftes »Lernerlebnis« ... sondern ein revolutionäres Traumerlebnis. (Warum nicht? Zum Teufel!)

8. *Take five.* Spannen Sie Ihre »Traum«-Muskeln an und lernen Sie, mit Ihrem Design alle fünf Sinne anzusprechen. Was sich sehen, hören, riechen und fühlen lässt ... macht zumindest etwas von sich her.

9. *Trällern Sie Ihren Traum in die Welt.* Drücken Sie aufs Dezibelpedal. Lassen Sie Ihre Lungen arbeiten. Das Letzte, was diese Zeiten verlangen, ist ... Understatement.

10. *Schlagen Sie Kapital aus Ihrer Leidenschaft.* Seien Sie wie Doug Hall (oder meine Wenigkeit), und legen Sie von Ihrem Überschwang in GROSSBUCHSTABEN Zeugnis ab.

COOLE FREUNDE: SCOTT BEDBURY

Scott Bedbury war von 1995 bis 1998 Marketingchef bei Starbucks. Zuvor hatte er sieben Jahre lang die Werbeabteilung von Nike geleitet, wo er die »Just Do It«-Kampagne ins Leben rief. Es folgen einige seiner Bemerkungen anlässlich der Veröffentlichung seines Buches A New Brand World – Eight Principles for Achieving Brand Leadership in the Twenty-First Century *im Jahr 2002.*

Was mir an der Marke als Organisationsprinzip gefällt, ist, dass sie, wenn sie im Unternehmen richtig verstanden wird, die Mitarbeiter motiviert und in ihrem Tun anleitet, und dies nicht nur im Hinblick auf ein Jahreskursziel, ein Gewinnziel, einen anvisierten Marktanteil oder einen Wettbewerber, den es vom Markt zu drängen gilt. Große Unternehmen interessieren sich darüber hinaus für das, was ihre Marke verkörpert und wie sie von der Welt innerhalb und außerhalb des Unternehmens wahrgenommen und empfunden wird. Wenn eine Marke den Kunden etwas bedeutet und maßgebliche Fürsprecher gewinnen kann, ist der beschwerliche Weg in Richtung starker Geschäftszahlen bereits zur Hälfte zurückgelegt.

* *

Ein großartiges Produkt oder eine großartige Dienstleistung reicht heute nicht mehr. Die Welt ist voller funktionierender Produkte und Dienstleistungen. Wichtig ist, wie sich die Marke für die Kunden anfühlt. Es geht also nicht nur um das Produkt oder die Dienstleistung, sondern um die Marke und somit um die Gesamtheit aller – begründeten oder unbegründeten – Bilder, die sich der Kunde vom Unternehmen macht. Große Vermarkter wissen, wie schwer sich die Kundenwahrnehmung beeinflussen lässt.

* *

Die »Just Do It«-Kampagne packte die Menschen bei ihren Gefühlen. Sie alle wünschten sich mehr Lebenskraft und eine aktivere Lebensführung. Wir sprachen ihnen lediglich ein wenig Mut zu. Auf Frauen wirkte die Kampagne besonders stark. Mit derselben Kampagne bedeuteten wir ihnen, dass wir uns in ihre Situation einfühlen können: mit einem Faulpelz von Ehemann, einem Faulpelz von Chef, mit Kindern im Hort und ohne Zeit für ein wenig Körperbewegung. Nikes mitfühlende Werbekampagne sprach sie an, als wollte sie sagen: »Hey, wir wissen, wie hart das Leben sein kann. Wir verstehen die Schwierigkeit, und wir denken, dass eine gute körperliche Verfassung zur Lösung beitragen könnte.« Das ist eine etwas langatmige Art, die zugrunde liegende kreative Strategie zu erklären, aber es macht deutlich, wie aus der Kampagne eine der eindrücklichsten – und subtilsten – Botschaften der Wirtschaftsgeschichte wurde.

* *

Als wir diese Kampagne [»Just Do It«] starteten, ahnten wir nicht, dass sie über den August 1988 hinausreichen würde. Sie war auf drei Wochen angelegt und verfügte über ein Budget von rund acht Millionen US-Dollar. Aber die Reaktionen aus dem Unternehmen heraus ließen nicht auf sich warten. Ein Jahr zuvor hatte Nike 25 Prozent seiner Beschäftigten entlassen. Niemand gab etwas auf Nike-Aktien. Erst dieser Slogan hauchte den Überlebenden und Verwundeten neue Kraft und neuen Mut ein.

Für die Nike-Beschäftigten war die Botschaft von »Just Do It« denkbar einfach: Vorbei ist vorbei. Wir wissen, was wir zu tun haben. Lasst es uns einfach tun. Auf geht's! Was dann geschah, war bemerkenswert. Ich erinnere mich an eine Vertriebstagung im Juni 1988, auf der ich die Kampagne erstmals vorstellte. Eintausend Nike-Beschäftigte klatschten zehn Minuten lang stehend Beifall. Das war ein echter Wendepunkt nicht nur für die Marke, sondern für die Menschen, die sie zu dem machten, was sie war und was sie in den kommenden Jahren werden sollte.

* *

Wir alle halten Coca-Cola für eine amerikanische Marke. Und sicherlich hat sie dort ihre Wurzeln. Aber wenn wir junge Leute – Teenager und Studenten – fragen, die so viel enger mit der Welt verbunden sind, als wir es in ihrem Alter waren, sagen sie: »Ja, natürlich hat es in Amerika angefangen, aber heute ist Coke eine Weltmarke. Sie gehört allen.« Das ist meines Erachtens eine der stärksten Markenpositionen, die denkbar sind: Sie gehört überall hin und verlangt von niemandem, die Werte einer anderen Kultur oder eines anderen Landes zu übernehmen. Zugegeben, Coca-Cola ist das bekannteste amerikanische Sym-

bol auf Erden. Aber auch außerhalb Amerikas identifizieren sich
sehr viele Menschen damit.

* *

Ich weiß noch, wie ich im Jahr 1995 nach einem Flug von
Chicago nach Seattle das Flugzeug verließ. Bei dieser speziellen Städteverbindung gibt es ein Starbucks genau gegenüber
dem Abfluggate in Chicago und ein weiteres gleich neben dem
Ausgang der Fluggastbrücke in Seattle. Unmittelbar vor mir stieg
ein älteres Ehepaar aus Chicago aus, das während des Fluges in
meiner Nähe gesessen hatte. Die Frau blieb vor dem Starbucks
stehen und sagte zu ihrem Gatten:»Schau, hier gibt es auch
Starbucks!«

Und ich dachte: Die trinken doch wirklich Starbucks-Kaffee
in Chicago und halten das für eine lokale Spezialität. Obwohl
die meisten Menschen wissen, dass Starbucks ursprünglich von
woanders kam, machen sie sich die Filiale vor Ort »zu eigen«.
Fragt man sie:»Wo liegt dein Starbucks«, zucken Sie beim
Gebrauch des Possessivpronomens nicht einmal mit der Wimper.
»Ihr« Starbucks ist zu einem Bestandteil »ihrer« Nachbarschaft
geworden. Mir fallen nur wenige Marken ein, denen es in ähnlicher Weise gelungen ist, von Menschen auf der ganzen Welt
als ihr »Eigentum« akzeptiert zu werden. Und in einer Zeit, in
der die Welt nach Vereinigung strebt, wäre es wünschenswert,
wenn es mehr Marken gelänge, Erlebnisse zu schaffen, die an
allen Orten gleichermaßen relevant sind.

* *

Wir verzichteten bei Nike auf traditionelle Marktforschungsmethoden wie Testwerbekampagnen oder Produkttests. Es gab
viele Labortests, aber nichts mit Fokusgruppen, zumindest nicht
während meiner Zeit dort. Wir suchten stattdessen den engen
Kontakt zu den Kunden. Wir befragten sie nicht in Fokusgruppen oder anderen gestellten Situationen, was sie von dieser
Produktlinie oder jener Werbekampagne hielten. Stattdessen
investierten wir viele Stunden, um einfach nur die Welt zu verstehen, in der sie lebten, um das Gespräch sodann ganz allmählich und systematisch auf das Thema Sport und Fitness, Schuhe
und Bekleidung und zu guter Letzt auf Marken und auf Nike zu
lenken.

* *

Produkte kommen und gehen. Die Marke aber bleibt. Die gegenständliche Manifestation einer Marke ist eine höchst irreführende Vorstellung.

Ein anderer Irrtum ist zu glauben, dass Markenbildung identisch wäre mit Werbung oder Marketing und die Markenbildung in den Händen der Marketingabteilung gut aufgehoben wäre. In Wahrheit sind alle an der Markenbildung beteiligt. Erfolgversprechende Markenbildungsinitiativen betreffen fast immer auch das Marketing, aber sie wirken sich nicht minder auf die Personalführung und den Vertrieb aus.

* *

Führen Sie ein Markenaudit durch. Auf diese Weise finden Sie heraus, was die Unternehmensführung und die übrigen Managementebenen bis hin zu den einfachen Mitarbeitern von der Marke halten. Ein Markenaudit sollte zudem Stammkunden, Gelegenheitskunden, erklärte Nicht-Kunden und möglicherweise auch solche potenziellen Kunden umfassen, die von Ihrer Existenz nichts wissen. Ich machte dies vor ein paar Jahren für ein großes Architekturbüro und stellte fest, dass diejenigen an der Spitze eine ganz andere Sicht von der Marke hatten als die jungen Architekten, die das Bild der Marke zunehmend prägten. Und diese Lücke galt es zu schließen.

Und glauben Sie mir: In allen Unternehmen gibt es solche Diskrepanzen, denn sie bestehen aus Menschen, und wir Menschen sind nun einmal unterschiedlich. Nun kann man das Problem von außen angehen und versuchen, durch Kommunikation Meinungen zu verändern. Aber solange das Problem nicht von innen gelöst ist, rate ich von allen äußeren Maßnahmen ab. Mehr denn je müssen Marken heute ihr Versprechen leben. Sonst sind alle Marketinganstrengungen vergeblich. Sobald im Unternehmen ein klar definiertes Markenverständnis existiert, ist es sehr viel einfacher, die nötigen Instrumente zu entwickeln, um das äußere Bild entsprechend zurechtzurücken.

5

DER MARKT LEBT:
DAS ULTIMATIVE
WERTEVERSPRECHEN

Kontraste

Früher	Heute
Gute Produkte	Großer »Wirbel«
Verlässlich	Einzigartig
Ausgezeichnet	Einprägsam
Erfüllt eine Funktion	Erzählt eine Geschichte
Befriedigt Bedürfnisse	Verwirklicht Träume
Sie bekommen das, was Sie sehen	Sie bekommen das, was Sie sich vorstellen
Die Kunden besitzen es	Die Kunden schaffen sich damit eine neue Identität
»Tolles Essen«	»Ein Ort zum Gesehenwerden«
»Fährt sich gut«	»Sagt etwas aus«
»Verarbeitet meine Daten«	»Hilft mir Sinn zu finden«

!Tirade

Wir sind nicht vorbereitet ...

Wir erkennen, welch einzigartigen Wert »effektive Markenbildung« in unserer immer »virtuelleren« Wirtschaft hat. • Aber nur wenige Unternehmen begreifen, **WAS MARKENORIENTIERUNG WIRKLICH BEDEUTET.** • **DAS MUSS SICH ÄNDERN.** • **JETZT.**

Wir sehen »Marke« immer noch als das »äußere Bild« eines Unternehmens, eines Produkts oder einer Dienstleistung. Stattdessen müssen wir lernen, dass Markenbildung unmittelbar mit dem Herzen des Unternehmens zu tun hat. • **Effektive Markenbildung ist mehr eine INTERNE als eine EXTERNE Angelegenheit.**

!Vision

Ich stelle mir vor ...

Eine 22-köpfige Schulungsabteilung (PSF!) innerhalb eines 700-köpfigen Unternehmensbereichs. Mit dem Ruf eines Spitzenanbieters im Bereich Verkaufstraining. • Diese »unbedeutende« Schulungsabteilung bietet global über das Internet Kurse an und beschert dem Unternehmensbereich **IN NICHT GERINGEM UMFANG PROFIT UND ANERKENNUNG.** • Das heißt: »Kleine« Abteilung = große Marke.

Teerevolution

Blattgold

Meine Freunde Ron Rubin und Stuart Avery Gold wissen, was Markenbildung bedeutet. Sie sind die Chefs des Unternehmens Republic of Tea. In ihrem wunderbaren Buch *success@ life* schreiben Rubin und Gold: »Als Minister der ›Teerepublik‹ besteht unsere nicht allzu verdeckte Mission darin, eine Teerevolution in die Wege zu leiten.«

Wunderbar.

Einfach wunderbar.

(Großartig!)

(Wünschten Sie sich nicht immer schon solche Chefs?)

»Unsere freizügige Einwanderungspolitik«, so das Duo weiter, »heißt alle willkommen, die der Tyrannei des Kaffees und der von ihm bewirkten Rast- und Ruhelosigkeit entfliehen wollen. In unserem kleinen Land haben wir erkannt, dass Kaffee der Inbegriff von blinder Eile ist, während Tee wache Bedächtigkeit impliziert. Denn Tee ist nicht nur ein Getränk, sondern eine bewusstseinsverändernde Substanz, die es uns erlaubt, das Leben in seiner ganzen Schönheit und Wundersamkeit zu begreifen und uns seiner zu erfreuen.«

Vielleicht erinnert Sie das alles an eine Schubkarre voller Mist. (Mich nicht.) (Ich sehe darin vielmehr Leiterwagen voller Gold.)

Mein Punkt: Wir haben es hier mit Markenbildung pur zu tun. Mit dem Kern des Markenversprechens. Mit etwas, das uns *wichtig* ist. Das uns *am Herzen liegt.* Für das wir *stehen.* Das möglicherweise auch den *270 Menschen, die für uns arbeiten,* etwas *bedeutet.* (Und wäre das nicht wunderbar?)

Design

Das ultimative Werteversprechen

JUNGFERNFLUG

Virgin-Group-Gründer und Markenexperte Richard Branson: »Die Vorstellung, dass Geschäft ausschließlich mit Zahlen zu tun hätte, erschien mir immer schon grotesk. Schon allein, weil ich selbst nie besonders gut in Zahlen war, dafür aber in Gefühlsdingen, und da, denke ich, mache ich einen guten Job.

Ich bin überzeugt, dass der Erfolg der Marke Virgin in ihren Myriaden von Ausprägungen ausschließlich auf Gefühle zurückzuführen ist.«

(Und »Myriaden« ist genau das richtige Wort. In einer Welt, in der »Mischkonzerne« zu Recht in Verruf gekommen sind, hat Branson sein helles, rotes Virgin-Wunder in

unzähliger Wiederholung vollbracht, von Flugreisen über Finanzdienstleistungen bis zum Musikeinzelhandel. Eine einmalige Geschichte. Getragen von einer heißen Liebesaffäre mit dem Trio Liebe & Markenbildung & Rot.

Identitätskrise

»Die wachsende Schwierigkeit, zwischen Produkten zu unter-
scheiden, und die Geschwindigkeit, mit der Wettbewerber Inno-
vationen aufgreifen«, schreiben die neuseeländischen Vermarkter
Gillian Law und Nick Grant, »bewirken, dass die Marke immer
wichtiger wird.«

Wally Olins schreibt in *Corporate Identity,* dass »Produkte der
größeren konkurrierenden Unternehmen auf der ganzen Welt sich
immer ähnlicher werden. Unausweichlich wird damit die ›Persönlichkeit‹ des Unternehmens, seine Identität, der bedeutsamste
Faktor bei der Wahl zwischen einem Unternehmen und seinen
Produkten und einem anderen werden.«

Ja. Markenbildung ist heute wichtiger denn je. In fast jeder
Produkt- oder Dienstleistungskategorie gibt es mittlerweile brillante Angebote. Mag »Brillanz« (gute Produkte zu konkurrenz-
fähigen Preisen) noch so wichtig sein – sie ist lediglich Eintritts-
karte zum Spiel und keine Trumpfkarte.

Was ist Ihnen wichtig?

Wie lauten Ihre Ziele?

Auf welchem Fundament stehen Sie?

Das – und nur das – ist Gegenstand der Markenbildung.

Markenbildung erscheint mir so selbstverständlich. Mit einer
»inspirierenden« ›Identität« wird das Leben gleich viel einfacher.
Das Problem ist nur, dass sich eine inspirierende Identität unglaublich schwer erzeugen und aufrechterhalten
lässt. Aber die Belohnung, die im Erfolgs-
fall winkt – denken Sie nur an Nike, Starbucks, Coca-Cola, Body Shop, Virgin oder
Harley –, kann viele Milliarden Dollar an
Marktkapitalisierung wert sein. Zuzüglich
des Stolzes zu wissen, dass das, was Sie
tun, Hand und Fuß hat.

**WAS
IST IHNEN
WICHTIG?**

SCHIRMHERRSCHAFT
Marketingguru Tom
Asacker: »Salz ist Salz
ist Salz. Richtig? Nicht,
wenn es in einer blauen
Schachtel mit dem Bild
eines kleinen Mädchens
mit Regenschirm verpackt
ist. Morton International
dominiert nach wie vor den
US-Salzmarkt, auch wenn
das Unternehmen mehr
verlangt für ein Produkt,
das sich von seinesglei-
chen nachweislich kaum
unterscheidet.«

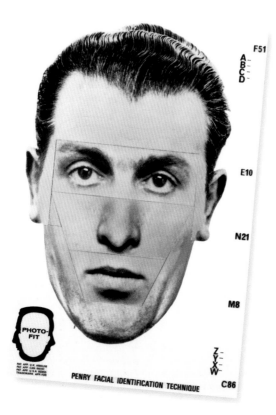

F51
A
B
C
D

E10

N21

M8

Z
Y
X
W

PENRY FACIAL IDENTIFICATION TECHNIQUE   C86

PHOTO-FIT

Design

Das ultimative Werteversprechen

Häufig nicht gestellte Fragen

Markenbildung. Ich glaube daran.

Ich glaube an »Markenbildung« – für mich selbst. Als Individuum. Als Eigentümer eines kleinen Unternehmens.

Ich glaube an Markenbildung – für Sie. Als Mitarbeiter in der Einkaufsabteilung eines Großunternehmens. Oder als Kellner in einem familienbetriebenen Restaurant … oder als Zimmerdienstchef in einem 800-Betten-Hotel.

Markenbildung irritiert mich. Markenbildung beeindruckt mich. Markenbildung macht mich an. Markenbildung bedeutet mir etwas.

Markenbildung ist einfach.

Markenbildung ist unmöglich.

Markenbildung hat nichts mit Marketingtricks zu tun. Es geht vielmehr um die Beantwortung einiger einfacher (und dennoch *unmöglicher*) Fragen:

WER *SIND* SIE?
WARUM SIND SIE HIER?
WORIN SIND SIE *EINZIGARTIG*?
WIE KÖNNEN SIE WIRKLICH *ETWAS* BEWIRKEN?

Und ... vor allem ...

WEM IST ES *WICHTIG*? (IST ES *IHNEN* WICHTIG?)

Wer sind Sie? (Ich will es wissen)

Das Topmanagement eines amerikanischen Großunternehmens lud mich zu einem Gespräch. Das Unternehmenswachstum, das mehrere Jahrzehnte ungebrochen gewesen war, schien sich zu verlangsamen. Die Moral der Mitarbeiter hatte, wie Erhebungen zeigten, gelitten, was die Fluktuation erhöhte. Der Kundenservice bekam nicht mehr die Höchstnoten von einst. Das war nicht das Ende der Welt, aber es machte sich Unsicherheit breit. Talentierte, entschlossene Wettbewerber mit beachtlichem Investitionspotenzial machten die Lage nicht einfacher.

Seitenleiste links: Design · Das ultimative Werteversprechen

IN MARKE UND BEIN
Dieses Kapitel ist keine »Anleitung in Markenbildung«. Das haben andere schon viel besser gemacht, als ich es je könnte. (Siehe beispielsweise das später

noch erwähnte Buch *A New Brand World* von Scott Bedbury.)

Dieses Kapitel handelt vom Geist der Markenbildung. Von Herz und Seele. Von Leidenschaft. Ehrlich

gesagt: Ich finde, es gibt zu viele »Anleitungen« in der ständig expandierenden Welt der Managementbücher und nicht genug »seelischen« Rat.

WEM

IST ES WICHTIG

?

(Ist es Ihnen wichtig?)

Ich studierte Unterlagen. Sprach mit Kunden. Sprach mit Zulieferern. Sprach mit Beschäftigten. Ich hatte nur drei Stunden mit den Top 50, und mein professioneller Stolz verlangte, jeden Moment davon optimal zu nutzen. Für die erste Hälfte plante ich eine Präsentation. 90 Minuten »aufschlussreiche« PowerPoint-Folien. Die zweite Hälfte war für das Gespräch gedacht.

Wie üblich litt ich in der Nacht davor an Schlaflosigkeit. Es war 4 Uhr morgens. Die Veranstaltung sollte um 7 Uhr beginnen. Und ich hatte alle Folien fertig … 127 Stück. (Aufs Blatt genau.) Ich dachte nach. War unzufrieden. Und dann tat ich etwas Seltsames: Ich vernichtete 126 der 127 Folien. Nur eine blieb übrig. Sie lautete:

»Wer sind Sie (heute)?«

Das Unternehmen hatte in den letzten Jahren einige andere Unternehmen aufgekauft. Obwohl ich als Akquisitionsskeptiker bekannt bin, hatte ich in diesem konkreten Fall keine Einwände; jede Akquisition hatte ein klaffendes Loch im Portfolio gefüllt. Aber irgendwie schien das Unternehmen seine wahre Identität aus den Augen verloren zu haben. Also sagte ich: »Sie können Ihr Geld zurückverlangen, aber ich werde mit Ihnen drei Stunden lang darüber sprechen,

WER SIND SIE (heute)?

›wer Sie sind‹.«

EINMAL MEHR

Übrigens: Mein gewagter Ansatz bewährte sich aufs Beste. Der CEO, den ich gut kenne, meinte anschließend, dies sei vielleicht der beste Vormittag gewesen, den sein Managementteam je erlebte: »Niemand hat uns je erzählt, dass wir ein chaotischer Kramladen sind, der nicht weiß, was er ist. Gut gemacht, Tom. Gut möglich, dass wir Sie noch einmal einladen.«

PS: Was sie denn auch taten.
PPS: Puh!
(Wir alle leben von Wiederholungsaufträgen.)

Bild dir deine Marke

»Sie können sich heute nicht mehr allein vom Strom der Gezeiten tragen lassen«, schreibt der dänische Marketingexperte Jesper Kunde, »dabei lediglich die Konkurrenz beobachten und die Kunden nach ihren Wünschen fragen. *Was wollen Sie selbst? Was wollen Sie der Welt in Zukunft erzählen? Was hat Ihr Unternehmen, das die Welt bereichern wird?* Sie müssen daran glauben. So sehr, dass Sie *einzigartig* sind in dem, was Sie tun.«

Das ist noch nicht alles.

»Einige Unternehmen«, so Kunde weiter, »setzen Markenbildung mit Marketing gleich. Entwerfen Sie ein schillerndes neues Logo, veranstalten Sie eine aufregende neue Marketingkampagne, und siehe da – schon ist alles wieder im Lot. Irrtum. Die Aufgabe ist größer. Ein neues Logo reicht nicht. Das Unternehmen muss vielmehr sein gesamtes Potenzial verwirklichen.

WAS IST MEINE MISSION IM LEBEN? WAS WILL ICH DEN MENSCHEN VERMITTELN? UND WIE ERREICHE ICH, DASS ICH DER WELT ETWAS WAHRHAFT EINZIGARTIGES ANBIETEN KANN? MARKE, UNTERNEHMEN UND MANAGEMENT MÜSSEN JEWEILS IHREN TEIL DAZU BEITRAGEN. […] GENAU GENOMMEN GEHT ES DARUM, OB SIE HEUTE EINMALIG SEIN WOLLEN ODER NICHT.«

Das finde ich brillant.

Markenbildung:

Handelt vom

SINN, NICHT VOM MARKETING …

von tiefer Unternehmenslogik, nicht von aufregenden neuen Logos.

> ### GRÜN? LOGO!
>
> *Ich bin mir mit Jesper Kunde einig, was die begrenzte Wirkung von Logos betrifft. Und doch …*
>
> *Manchmal kann ein neues Logo Wunder wirken. Ich denke beispielsweise an British Petroleum.*
>
> *Das Unternehmen ist in den USA dabei, sich selbst neu zu erfinden und sich in seiner Branche als einzigartig zu positionieren, indem es alles auf die Karte »Grün« setzt. Während viele diesen Schritt mit Skepsis betrachten, bin ich überzeugt, dass das Thema »Grün« ebenso real wie zugkräftig ist.*
>
> *Zu dieser Neuausrichtung gehört die Schaffung eines völlig neuen Logos. Es fällt mir auf, wie sehr ich auf das Logo achte, wenn ich gelegentlich daran vorbeifahre.*
>
> *Hübsch! (Und viel Glück!)*

Design

Das ultimative Werteversprechen

Was lohnt denn überhaupt die Anstrengung, wenn nicht ... EINZIGARTIGKEIT?

Einsame Spitze

EINZIGARTIG. Ein größeres Wort gibt es nicht.

Einzigartig bedeutet ... UNVERGLEICHLICH. RICHTIG? (Und ... PUNKT.)

»Überlassen Sie es niemals der Konkurrenz, Sie zu definieren«, rät Tom Chappell, der Gründer von Tom's of Maine, einem Unternehmen für Körperpflegeprodukte. »Definieren Sie sich durch etwas, was Ihnen wirklich am Herzen liegt.«

Brillant.

Aber auch zu Tom gibt es noch eine Steigerung.

Lassen wir Jerry Garcia von den Grateful Dead sprechen: »Wir wollen nicht nur als die Besten der Besten gelten. Wir wollen die Einzigen sein, die das tun, was wir tun.«

Und die Grateful Dead waren genau das. Sie veränderten die Welt. (Ich bin übrigens ihr Fan. Kein »Deadhead«, aber zumindest ein Sympathisant.)

STAMMKAPITAL

Es ist überraschend einfach, von der Welt der Grateful Dead zum Polly Hill Arboretum in Martha's Vineyard zu wechseln. Stephen Spongberg, der Leiter dieser großartigen Einrichtung: »Wir lassen uns nicht von dem leiten, was wir für das Ideal irgendeines potenziellen Geldgebers halten. Wir machen einen Plan, der unseren Vorstellungen entspricht, und suchen anschließend nach einem Geldgeber, der damit einverstanden ist.«

Damit sagt er letztlich nichts anderes, als dass er eine sehr ... SEHR ... klare Antwort auf die Frage weiß: »WORIN SIND WIR EINZIGARTIG?«

MARKENBILDUNG: KEIN LUXUS

Im Spiel um die »Einzigartigkeit« werden die Einsätze immer größer.

Michael Silverstein und Neil Fiske schreiben in ihrem Buch *Trading Up – The New American Luxury* von 2003: »Eine Versandangestellte mit einem Jahresgehalt von 25000 US-Dollar leistet sich Seidenpyjamas von Victoria's Secret. Ein Doppelverdienerpaar mit jährlich 125000 US-Dollar bestellt für sein Stadthaus einen Viking-Herd für 4000 US-Dollar, obgleich ein Standardherd im Hauspreis inbegriffen gewesen wäre. Diese Anschaffungen stehen beispielhaft für einen weltweiten Verhaltenswandel. Die Kunden von heute zahlen einen erheblichen Aufpreis für Güter und Dienstleistungen, die ihnen emotional wichtig sind und die sie mit Werten wie Qualität, Leistung und Einsatz verbinden. In anderen, weniger emotional besetzten Kategorien werden sie zu Pfennigfuchsern: Der passionierte Mercedesfahrer kauft jedes Wochenende bei Target ein; der Bauarbeiter, der für einen Satz Callaway-Golfschläger 3000 US-Dollar berappt, kauft im Supermarkt No-Name-Produkte.«

Was lohnt denn überhaupt die Anstrengung, wenn nicht …
EINZIGARTIGKEIT?

»Hall-Effekt«: Die Gesetze der Einzigartigkeit

Doug Hall ist ein »Ideenguru«. *Der* Ideenguru (laut einer Titelgeschichte in der Zeitschrift *Inc.* von 2001). Der ehemalige P&G-Vermarkter und heutige Chef von Eureka Ranch hat ein Großunternehmen nach dem anderen zu neuen Produkterfolgen geführt. Heute liegt sein Schwerpunkt in der Arbeit mit kleinen Unternehmen. Doug schrieb ein wundervolles und sorgfältig recherchiertes Buch: *Jump Start Your Business Brain*. (In einem Vorwort nannte ich es … SUPERKALIFRAGILISTIGEXPIALIGETISCH.

Grund: Es verwendet scheinbar »harte Daten«, um diverse brillante »weiche Ideen« zu untermauern.)

Den Kern des Buches bilden drei »Gesetze« der »Marketingphysik«.

Gesetz Nr. 1: Klare Vorteile.

Was ist die *wesentliche Stärke* des Produkts? (Eine oder zwei »Stärken« sind besser als drei oder vier. Mit drei oder vier Stärken verwirren Sie nur den Kunden. Es gibt jede Menge Zahlen, die das belegen.)

Gesetz Nr. 2: Überzeugendes Argument.

Kann das Unternehmen diese »wesentliche Stärke« zuverlässig garantieren?

Gesetz Nr. 3: DRAMATISCHER UNTERSCHIED.

Die klare Besonderheit eines Produkts oder einer Dienstleistung wirkt sich dramatisch auf die Erfolgsbilanz aus. Leider, sagt Hall, wird das von viel zu wenigen Executives begriffen.

Beispiel: Mehrere Hundert Konsumenten werden gebeten, ein potenzielles neues Produkt zu bewerten. Sie sollen zwei Fragen beantworten: »Wie wahrscheinlich ist es, dass Sie dieses neue Produkt *kaufen*?« Und: »Wie *einzigartig* ist dieses neue Produkt?«

Die Antworten der Konsumenten sind aufschlussreich. Noch viel aufschlussreicher sind jedoch die Reaktionen der Unternehmensführungen.

EINZIGARTIGKEIT

=

EMOTIONALE
BINDUNG

Die Executives richten ihr Augenmerk – *laut Hall ohne Ausnahme seit 20 Jahren* – zu 95 bis 100 Prozent auf die Frage zur Kaufabsicht und zu 0 bis 5 Prozent auf die Frage zur Einzigartigkeit.

Tatsache: SIE ZÄUMEN DAS PFERD AM SCHWANZ AUF.

Vertrauen Sie den Daten. Das Hauptindiz für zukünftigen Erfolg – im Rahmen der gestellten Fragen – ist EINZIGARTIGKEIT. (Oder: DRAMATISCHER UNTERSCHIED.) Nicht »Absicht«. Denn ... EINZIGARTIGKEIT = EMOTIONALE BINDUNG.

WETTBEWERBSORIENTIERT

Selbst im lange Zeit für seinen stabilen Binnenmarkt bekannten Japan wird der Wettbewerb härter. Und die Gewinner sind zunehmend von einem anderen Schlag als in der Vergangenheit. Weniger Schwergewicht auf Kosten, Qualität und Beständigkeit. Mehr Gewicht auf ... dramatische Andersartigkeit.

Und das wesentliche Unterscheidungsmerkmal? Design.

In einem Nikkei-Weekly-*Artikel vom August 2004 lesen wir: »Die Niedrigpreisstrategie hat sich überlebt. Zur Sicherung ihres Marktanteils statten die Unternehmen ihre populären Produkte in zunehmendem Maße mit unverwechselbaren gestalterischen und funktionellen Attributen aus.«*

Wen interessiert's? (Es sollte Sie interessieren!)

Zu der Zeit, als Bob Waterman und ich *Auf der Suche nach Spitzenleistungen* verfassten, war »Management« gemeinhin ein Synonym für »trockene Zahlenübung«. Bob und ich durchforsteten das Land nach Unternehmen, die funktionierten, und wir entdeckten dabei etwas anderes. Was wir entdeckten, war nach den Standards der Harvard Business School »weich«: Menschen, Engagement für die Arbeit, Liebe zur Qualität, unternehmerischer Instinkt und Werte, für die es sich zu kämpfen lohnte. *Die (im Jahr 1982) »überraschende« Waterman-Peters-Losung:*

WEICH IST HART.
HART IST WEICH.

Mit anderen Worten: Die »Zahlen« sind abstrakt und leblos. *(Hart ist weich.)*

Die »Menschen« und ihre »Leidenschaft« bewegen Berge. *(Weich ist hart.)*

Zu unserer Freude (und Überraschung) hörte die Welt uns zu – nicht unserer schillernden Prosa wegen, sondern weil die Wettbewerbssituation es erforderlich machte. Und unsere »wilden Ideen« sind zum Allgemeingut geworden:

Motivieren Sie Ihre Mitarbeiter.

Tun Sie coole Dinge, die funktionieren.

Riskieren Sie etwas.

Das alles ist nur eine umständliche Formulierung dafür, dass LEIDENSCHAFT (GEFÜHL ... ENGAGEMENT ... BESONDERHEIT) ... mittlerweile anerkannter Erfolgsbestandteil ist. Nicht weniger wichtig als

RISKIEREN SIE ETWAS

DER KUNDE IST ... HERZ-KÖNIG.
Die schwedischen Professoren Kjell Nordström und Jonas Ridderstråle schreiben in *Funky Business – Wie kluge Köpfe das Kapital zum Tanzen bringen:* »Im funky Dorf dreht sich der wirkliche Wettbewerb nicht mehr um Marktanteile. Wir kämpfen um Aufmerksamkeit – Geist- und Herzanteile.«

die »Zahlen«, mit denen sich Managementschulen bis heute am liebsten abgeben. Eine zwingende Notwendigkeit.

Verbstrategie

Jean-Marie Dru, der CEO von TBWA/Chiat/Day ist der provokativste Vermarkter, dem ich je begegnet bin. Seine letzten Bücher – *Disruption* und *Beyond Disruption* – gehören zu den besten, die ich seit Jahren gelesen habe. Dru bringt es auf den Punkt:

»Apple widersetzt sich, IBM löst Probleme, Nike ermutigt, Virgin klärt auf, Sony träumt, Benetton protestiert ... Ich glaube, Dan Wieden sagte, dass Marken keine Substantive, sondern Verben sind.«

Ich gestehe, dass ich in Drus Idee absolut verliebt bin. *Sie macht mich wahnsinnig.* Ich weiß noch nicht was, aber *irgendetwas Wichtiges* muss ich damit machen.

(Drus Idee passt übrigens wunderbar zu der Sache mit den »Erlebnissen« und den »Träumen«, über die ich zuvor gesprochen habe.)

Auch hier versuche ich ein *Gefühl* zu vermitteln. Die kurze und einfache Frage: *Wie lautet Ihr Verb?* Welches *Verb* beschreibt die (einzigartige, unnachahmliche) »Tätigkeit«, mit der Sie sich beschäftigen – in Ihrer Schulungsabteilung, Logistikabteilung, Einkaufsabteilung, Finanzabteilung, Produktentwicklungsabteilung, Konstruktionsabteilung, IT-Abteilung ... Ihrem 18-Tische-Restaurant ... Ihrer vierköpfigen Finanzberatungsagentur?

Für die Quantitätsfanatiker ist dies alles hohles Geschwätz. Für mich (einen geläuterten Quantitativisten) klingt es wie die Milliarden-Dollar-Frage.

SCHLAGENDE VERBINDUNG
Scott Bedbury, der eine führende Rolle in der Markenbildung von Nike und Starbucks spielte (Wow!) und das wunderbare Buch *A New Brand World* verfasste, sagt: »Eine große Marke weckt Emotionen. ... Eine Marke schafft das Erlebnis einer starken Verbindung. Es ist eine emotionale Verbindung, die weit über das Produkt hinausreicht. ... Eine große Marke ist eine Geschichte, die niemals zu Ende erzählt ist. Eine Marke ist eine metaphorische Geschichte, die einen Bezug zu etwas sehr Tiefem schafft – eine fundamentale mythologische Verwurzelung. ... Geschichten erzeugen den emotionalen Kontext, den die Menschen brauchen, um sich in einem größeren Erlebnis wiederzufinden.«

Fassen Sie sich kurz

Häufig veranstalte ich mit meinen Klienten eine kleine Übung in Sachen »Markenversprechen«:

1. WER SIND WIR? (a) Schreiben Sie eine

Kurzgeschichte von zwei Seiten zum Thema »Wer sind wir?«. (Mit einer schillernden Handlung.) (b) Reduzieren Sie sie auf eine Seite – oder besser noch: ein Gedicht oder ein Lied. (c) Reduzieren Sie sie auf 25 Wörter. (Oder vielleicht 10.) (Oder 5.) (Oder ein Verb.)

2. DREI ASPEKTE. Nennen Sie drei Aspekte, die

Sie für Ihre Kunden EINZIGARTIG machen.

3. DRAMATISCHER UNTERSCHIED.

Benennen Sie exakt dasjenige Attribut, das Sie von Ihren Wettbewerbern unterscheidet. In 25 Wörtern. (Oder weniger.) (Viel weniger.)

GESELLSCHAFT IM UMBRUCH

Rolf Jensen, Leiter des Copenhagen Institute for Future Studies, schreibt: »Wir erleben das Ende der datenbasierten Gesellschaft. In dem Maße, wie Informationen und Intelligenz zu einer Domäne des Computers werden, legt die Gesellschaft zunehmend Wert auf die eine menschliche Fähigkeit, die sich nicht automatisieren lässt: Gefühle. Fantasie, Mythen, Rituale – die Sprache der Gefühle – werden ebenso unsere Kaufentscheidungen beeinflussen wie unsere Fähigkeit, mit anderen zusammenzuarbeiten. ... Der Erfolg der Unternehmen wird zunehmend von ihren Geschichten und Mythen abhängen. Die Unternehmen müssen lernen, dass ihre Produkte weniger wichtig sind als ihre Geschichten.«

Design

Das ultimative Werteversprechen

Das Unternehmen verkauft das Erlebnis,
Nike-Produkte zu tragen.

4. WER SIND »DIE ANDEREN«?

(a) Erklären Sie, wer Ihre wichtigsten Wettbewerber sind. In 25 kräftigen, präzisen, schmeichelnden ... und wahrheitsgetreuen ... Worten. (Oder weniger.) (b) Nennen Sie drei klare Unterschiede zwischen »Ihnen« und »den anderen«.

_____

_____

_____

_____

_____

5. TEST AN TEAMKOLLEGEN.

Testen Sie die »Ergebnisse« an Ihren Teamkollegen. Sprechen Sie darüber. Argumentieren Sie. Streiten Sie sich. Ernsthaft. Ausführlich.

6. TEST AN KUNDEN.

(a) Testen Sie die Ergebnisse an einem wohlwollenden Kunden.
(b) Testen Sie sie an einem skeptischen Kunden.

7. WEITERE TESTS.

Testen Sie die Ergebnisse beispielsweise an Kassierern und Lagergehilfen.

FROHE BOTSCHAFT

Jesper Kunde berichtet von einem Klienten mit einem scheinbar völlig unspektakulären Tätigkeitsbereich.

Klient: »Aber wir sind alles andere als Nike. Wir verkaufen Büroklammern, Winkelschleifer und 9-mm-Bolzen. Wen können wir damit hinterm Ofen hervorlocken?«

Jesper Kunde: »Mit der richtigen Markenpolitik können Sie die ganze Welt mobilisieren. Nike verkauft in Wirklichkeit gar keine Schuhe. Das Unternehmen verkauft das _Erlebnis_, Nike-Produkte zu tragen und sich als Gewinner zu fühlen, und es fasst die gesamte Botschaft in drei Worten zusammen: _Just Do It!_ ... Entscheidend ist, dass Ihr Angebot als einzigartig wahrgenommen wird.«

Design

Das ultimative Werteversprechen

Haltbare Versprechen

Bei einem Seminar eines großen Finanzdienstleisters lauschte ich dem CEO, der eine gute Ansprache hielt. (Sie war verdammt gut – und ich weiß das mittlerweile zu beurteilen.) Er beschrieb eine Vision. Die einleuchtete. Die aber viel verlangte. Sehr viel. Ich sprach gleich im Anschluss an den Unternehmenschef. Und ich warnte ... *und testete* ... die vielen Hundert Anwesenden.

Ich sagte, dass das Markenversprechen (die neue Vision) wichtig sei. Dass es mir einleuchte. Dass es jedoch wertlos sei, wenn nicht alle Anwesenden davon überzeugt sein sollten.

»Leuchtet Ihnen dieses ›Markenversprechen‹ ein?«, fragte ich. »Als Individuen? In der täglichen Praxis? Mit Ihren Kunden? Stellt es eine echte, dramatische, inspirierende Veränderung gegenüber der Vergangenheit dar? Bekommen Sie davon eine Gänsehaut?« Wenn nicht, sagte ich, »dann machen Sie Ihrem CEO ... bitte ... BITTE ... die Hölle heiß und erzählen Sie ihm, warum die angebotenen Produkte dem schillernden (dramatisch anderen) Marktversprechen (der neuen Vision) nicht gerecht werden.«

Design · Das ultimative Werteversprechen

MARKENGYMNASTIK I

Es gibt Dutzende von Möglichkeiten, wie Sie Ihre Markenbildungsmuskeln verbessern können.

Der dänische Marketingexperte Jesper Kunde lässt potenzielle Mitarbeiter einen Essay zum Thema »Wer sind wir?« schreiben.

Sehr gut. (Ein »Essay« geht weiter als ein »Programm«.) Für mich wurde die *Disziplin* der Markenbildung zur Realität, als ich beschloss, für eine Reihe von eigenen Publikationen aus der letzten Zeit Lesezeichen zu drucken. Ich hielt das für eine gute Idee. Jedenfalls, bis ich mich hinsetzte, um den Text dafür zu schreiben. Ich musste in 15 Worten beschreiben, WER ICH WAR, WAS ICH IN DEN LETZTEN 30 JAHREN GEMACHT HATTE UND WARUM DAS HUNDERTTAUSENDE VON LESERN INTERESSIEREN SOLLTE.

(Schluck!)

Vielleicht werde ich nicht wieder eingeladen. Vielleicht fühlte sich der CEO auf den Schlips getreten. Er hatte sich lange darüber ausgelassen, wie »hart das Führungsteam an der Vision gearbeitet hatte«. Wen interessiert das? »Visionen« zählen nur, wenn der »einfache Soldat« daran glaubt und sich im Vertrauen auf dieses visionäre Markenversprechen ins Gefecht stürzt.

Markenbildung betrifft das Logo. Den Slogan. Die Marketingkampagne. Die Werbung (und das Werbebudget). Aber das Wichtigste ist am Ende die GLAUBWÜRDIGKEIT.

Nehmen 99,99 Prozent der Mitarbeiter das Markenversprechen ernst? Leben sie damit? (Mit Eifer.) Vermitteln sie es? **(Mit Leidenschaft.)**

Design

Das ultimative Werteversprechen

MARKENGYMNASTIK II
Im Rahmen des Marke-Ich-Trainings, das mein Unternehmen anbietet, erweist es sich als eine zweckmäßige Übung, die Klienten eine Gelbe-Seiten-Anzeige von einer Achtelseite ... *für sich selbst* ... entwerfen zu lassen. Für viele ist dies die schwerste berufliche Aufgabe, die sie je bewältigen mussten. (»Die Essenz von Tom« ... in 25 Worten!)

Und in unserem WOW-Projekt-Training besteht die zentrale Übung in der Vorbereitung einer »Fahrstuhlrede« – eines 90-Sekunden-Vortrags, mit dem Sie um Unterstützung für Ihr Projekt werben können, falls Sie zufällig die Gelegenheit haben, 20 Stockwerke allein mit Ihrem obersten Chef zurückzulegen.

Diese Übungen haben ein gemeinsames Ziel: DEN KERN IHRES MARKENVERSPRECHENS, IHRE EINZIGARTIGKEIT UND IHRE VERWEGENHEIT IN BÜNDIGER UND ÜBERZEUGENDER FORM ZU PRÄSENTIEREN.

Markenführung: Griff in die Requisitenkiste

Markenbildung und »Führung« sind siamesische Zwillinge. Das Markenversprechen erzählt auf lebendige und spannende Weise von dem, was uns besonders am Herzen liegt. Es setzt Leidenschaft voraus – jene Bandbreite von Leidenschaft, die nur inspirierte Führungspersönlichkeiten hervorrufen können.

Franklin Roosevelt, Amerikas Markenbildner in Sachen Würde und Freiheit während der Weltwirtschaftskrise (»Das Einzige, was wir fürchten müssen, ist die Furcht selbst«) und im Zweiten Weltkrieg (»Der 7. Dezember wird uns ewig als Tag der Heimtücke in Erinnerung bleiben«), sagte: »Ein Präsident muss der größte Schauspieler seiner Nation sein.«

Und tatsächlich: Führung ist stets Schauspiel. Die Vermittlung des Markenversprechens durch die Demonstration großer Zuversicht im Streben nach einem großen Ziel. Dieses große Ziel kann Demokratie, Frieden und Wohlstand sein oder die beste Cajun-Küche in New Orleans, die coolsten Geschäftsprozesse in der Kreditbranche, der beste Betriebsausflug.

In jedem Fall müssen Führungspersönlichkeiten ihren Part leben und auch äußerlich darstellen. Wie John Peers, CEO von Technology Inc., sagte: »Sie können keine Kavallerie anführen, solange Sie als Reiter keine gute Figur machen.« Roosevelt, der nach seiner Polioerkrankung sicherlich nicht mehr reiten konnte, legte großen Wert darauf, niemals als behindert in Erscheinung zu treten; er bewahrte auch in den härtesten Zeiten stets eine Aura der Zähigkeit und Zuversicht (wie Churchills Zigarre war auch Roosevelts Zigarettenspitze eine oscarreife Requisite).

Der Oscar geht jedoch an Mahatma Gandhi, der sich für seine Rolle als gewaltloser »Erbauer« einer Nation seine wichtigste Requisite, das bescheidene Spinnrad, mit Bedacht gewählt hatte.

MARKENGYMNASTIK III
Wie wäre es mit einem Kurs in kreativem Schreiben? Wirtschaftstexte sind üblicherweise gestelzt und fad. Denken Sie an Rolf Jensens Bemerkung zu Geschichten und Mythen: Wir benötigen eher ein Training in Geschichten, Mythen und Metaphysik als noch einen Kurs in Rechnungsführung.

Beispiel: Da gab es einst den brillanten japanischen Executive, der seine langen Flüge um die Welt nicht dazu nutzte, um Aktenkoffer voller Memos und Finanzberichte zu bearbeiten, sondern um Haikus zu konstruieren – jene geheimnisvollen 17-Silben-Gedichte. Wäre das nicht ein Gegenstand für Ihre nächste »Schulung«?

FÜHRUNG IST STETS SCHAUSPIEL!

Gandhi: »Wir selbst müssen die Veränderung sein, die wir in der Welt sehen wollen.«

MARKENIDENTITÄT

Große Führungspersönlichkeiten übernehmen die »Rolle« (sprich: die »Marke«) ihres Unternehmens oder ihres Produkts. Beispiele:

Steve Jobs	...	*Apple*
Bill Gates	...	*Microsoft*
Larry Ellison	...	*Oracle*
Scott McNealy	...	*Sun Microsystems*
Andy Grove	...	*Intel*
Sam Walton	...	*WalMart*
Richard Branson	...	*Virgin Group*
Anita Roddick	...	*The Body Shop*
Oprah	...	*Oprah*
Giorgio Armani	...	*Armani*
Charles Schwab	...	*Charles Schwab*

Design

Das ultimative Werteversprechen

Markenführung: Gelebte Geschichten

»Führer erreichen ihre Wirkung in erster Linie durch die von ihnen vermittelten Geschichten. [...] Führer sind jedoch nicht nur die *Vermittler* von Geschichten, sie *verkörpern* sie auch«, schreibt Harvard-Professor Howard Gardner in seinem Buch *Die Zukunft der Vorbilder. Das Profil der innovativen Führungskraft.* »Die mächtigste Waffe im [...] Arsenal des Führers [...] sind vor allem die *Identifikationsgeschichten,* Erzählungen um Selbsterkenntnis

SPASSPHEMIE

Nach einem einwöchigen Aufenthalt in meinem Haus in Martha's Vineyard war ich auf dem Rückweg nach Vermont. Kurz bevor ich die Fähre erreichte, die mich von Vineyard Haven nach Woods Hole bringen sollte, kam ich an einen A&P-Supermarkt vorbei. (Heute eine Stop&Shop-Filiale.) Auf einer Außenwand entdeckte ich ein riesiges Plakat: »A&P-Spaß im Sonnenmarkt«. Ich habe gewiss kein Problem mit dieser Vorstellung. (Ich finde sie sogar großartig.) Aber dann dachte ich an das Innenleben des Ladens. (Ziemlich gewöhnlich.) Ich dachte an eine typische Kassiererin. An einen typischen Lagerangestellten. Ob die wohl zutiefst überzeugt waren von dem wahnsinnig bedeutungsvollen Beitrag, den sie zum Spaßfaktor ihres Sonnenmarktes leisteten?

Antwort: Ich habe da meine Zweifel. (Im Ernst.)

Was mich auf folgende Überlegung brachte: Flotte Sprüche, prächtige Logos und vollmundige Markenversprechen sind ... TOTALER, KAPITALER, IMMORALISCHER, KONTRA-PRODUKTIVER BLÖDSINN, SOLANGE ... SOLANGE ... das »Talent« ... jene Lagerangestellten und Kassierer ... nicht mit ganzem Herzen dabei sind. Und wenn schon nicht zu hundert, so doch wenigstens zu 92,58 Prozent.

und Selbstbestimmung, die dem Individuum dabei helfen, denkend und fühlend zu erkennen, wer es ist, woher es kommt und wohin es geht.«

FÜHRUNG IST GESCHICHTENERZÄHLEN.
CHURCHILL.
DE GAULLE.
LINCOLN.
ROOSEVELT.
REAGAN.

Eine Marke ist ... eine Geschichte. Die Coca-Cola-Saga. Die UPS-Saga. Die IBM-Saga. (Und die Geschichte von einem kleinen Spezialitätenlokal in San Francisco, die Sie *allen* Ihren Freunden erzählen.)

Können Sie die »Geschichte« Ihrer Marke (4- oder 4000-Personen-Betrieb) schlüssig erzählen? Ist sie glaubhaft? Spannend? Umwerfend? Für Mitarbeiter? Für Lieferanten? Für Kunden? Für die Medien? (Für Ihre Kreditgeber?)

Wir haben über Führung als *Darstellung* und als *Geschichtenerzählen* gesprochen. Aber wahre Führung ist mehr. Sie handelt von ... LIEBE.

Das ist keine »weiche« Aussage. ES IST *DIE* HARTE AUSSAGE SCHLECHTHIN. Führung handelt von ... *Winston Churchill & Mahatma Gandhi & Albert Einstein & Martin Luther King & Caesar Chavez & Gloria Steinem & Charles de Gaulle & Theodore Roosevelt & Franklin Roosevelt & Thomas Jefferson & John Adams & Alexander Hamilton & Susan B. Anthony.* Leidenschaft ... Begeisterung ... Lebenshunger ... Engagement ... Ehrgeiz ... gemeinsamen Abenteuern ... spektakulären Fehlschlägen ... Wachstum ... dem unersättlichen Hunger nach Veränderung.

Das ist Gandhis »Geheimnis«. Und es ist das »Geheimnis« jeder wirklichen Führungspersönlichkeit. (Nur leider bleibt es meist ein »Geheimnis«.)

Wo ist das Feuer?

Ich hatte eine schwierige Unterhaltung mit einem sehr hochrangigen Executive. Den ich vergleichsweise gut kannte. Wir sprachen über eine gigantische strategische Initiative, die sein Unternehmen startete. Es ging um nicht weniger als die komplette Neudefinition des Unternehmens.

Wir sprachen anderthalb Stunden lang. Einige der Programme, die er erwähnte, waren absolut fesselnd.

Aber während jener 90 Minuten »hörte« (spürte) ich fast keine Gefühle. Ich musste an Begegnungen mit Leuten wie Scott McNealy (Sun Microsystems), Steve Jobs (Apple), Anita Roddick (Body Shop), Mickey Drexler (The Gap) oder Richard Teerlink (Harley-Davidson) denken. Ihre Sprache – besonders die »subtile« (aber überdeutliche!) Körpersprache – wäre völlig anders gewesen. In ihrer Gegenwart spüren Sie das Feuer.

Sicher, Markenbildung braucht auch »Programme« und »strategische Initiativen«. Aber sie muss von innen kommen – aus dem Herzen. Mit anderen Worten: Sie müssen daran glauben! Sie müssen davon erfüllt sein!

Das ist gewiss nicht leicht. (Die »weichen« Dinge sind immer die schwersten, weil sie so schwer greifbar sind.)

Markenbildung beruht zu einem guten Teil auf Intuition.

(DAS ZU LEUGNEN, WÄRE ABSURD.)

Reine … rohe … Gefühle. Reine … rohe … Begeisterung für »DAS WESENTLICHE«.

(DENN DESWEGEN SIND SIE HIER.)

SIE MÜSSEN DARAN

GLAUBEN!

SIE MÜSSEN DAVON

ERFÜLLT

SEIN!

Wie bringen wir das rüber? Was folgt daraus für die Einstellungs- und Beförderungspraxis? Wie bringen wir es dem Topmanagement bei? Wie vererben wir es von Generation zu Generation weiter?

Das Herz der Markenbildung

Ich hasse Dilbert.

Ich h-a-s-s-e Dilbert.

Ich lache über Dilbert … aber ich hasse ihn … weil der Comic Zynismus ausstrahlt. Und ich hasse Zynismus. Ich bin 60. Ich habe nicht mehr unendlich viele Jahre vor mir. Und ich möchte diese Jahre sinnvoll verbringen.

Ich bin engagiert. Leidenschaftlich.

Und Menschen, die sich nicht engagieren, stoßen mich ab.
In allen Lebensbereichen. Ob Straßenfeger oder Topingenieur bei Cisco Systems.

Ich bin engagiert. Und Sie hoffentlich auch.

Ich verbrachte über drei Jahrzehnte in Silicon Valley. Es gibt einen Menschen, der mir mehr als jeder andere imponiert und der geholfen hat, das Tal der Träume zu erschaffen. Steve Jobs. Steve hat die Revolution wahr werden lassen. Sein Unternehmen, Apple, war der Motor all dessen, was folgte. Hier ist mein Lieb-

Design

Das ultimative Werteversprechen

DER PUNKT IST LIEBE
In der Markenbildung funktioniert Leidenschaft (oder das Fehlen derselben) in beide Richtungen. Man muss selbst Leidenschaft gegenüber seiner Markenidentität ausstrahlen. Nur so gewinnt man leidenschaftliche Kunden.

Kevin Roberts, CEO von Saatchi & Saatchi, schreibt in seinem Buch *Lovemarks – The Future Beyond Brands* von 2004: »Vertrauen kommt nach der Marke; Marken, die man liebt, kommen nach Vertrauen. … Überlegen Sie, womit Sie das meiste

Geld verdienen. Damit, dass loyale Kunden, wirklich treue Kunden, Ihre Produkte immer wieder benutzen. … Also ist es besser, eine lange Liebesaffäre zu haben als nur eine vertrauensvolle Beziehung.«

lingszitat von Steve: »Lasst uns Spuren im Universum hinterlassen.« Das ist doch herrlich.

Die meisten von uns werden keine »Spuren im Universum« hinterlassen. Aber jeder von uns hat die Möglichkeit, es zumindest zu versuchen.

Es ist einfach.
Es ist unmöglich.
Schärfen Sie ihr Bewusstsein.
Fragen Sie sich ...
Wer sind *wir?*
Warum gibt es uns?
Was macht uns einzigartig?
Wie können wir etwas bewirken?
Wen interessiert es?
(Interessiert es uns?)

Das ist das Herz der Markenbildung. Weil Markenbildung im Kern von nichts mehr (und nichts weniger) handelt als vom Herzen. Von Leidenschaft. Was Ihnen wichtig ist. Was in Ihnen steckt. In Ihrer Abteilung. In Ihrem Unternehmen.

Es gehört mehr dazu. (Natürlich.) Aber wenn Sie diesen Teil der MARKENBILDUNG begriffen haben, dann haben Sie das HERZ »begriffen«.

MARKENBILDUNG: REPRISE

Rückblick. Markenbildung in- und auswendig:

ECHTE Markenbildung ist persönlich.

ECHTE Markenbildung ist ehrlich.

ECHTE Markenbildung ist folgerichtig und erfrischend.

ECHTE Markenbildung ist einprägsam.

ECHTE Markenbildung ist eine große Geschichte.

ECHTE Markenbildung ist wichtig. (Für Mitarbeiter, Kunden, Zulieferer.)

ECHTE Markenbildung handelt von Einzigartigkeit und dramatischem Unterschied.

ECHTE Markenbildung setzt einen deutlichen Schwerpunkt.

ECHTE Markenbildung handelt von Gefühl und Leidenschaft.

ECHTE Markenbildung ist das, was uns morgens zum Aufstehen motiviert.

ECHTE Markenbildung lässt sich nicht imitieren.

TOP 10 TO-DOs

1. *Fragen Sie.* Stellen Sie die Fragen, die man Ihnen an der Wirtschaftsschule nicht beigebracht hat. Beispiel: Wozu bin ich hier? (Siehe die vollständige Liste auf der linken Seite.)

2. *Identifizieren Sie sich.* Blicken Sie tief – TIEF – in Ihr innerstes Selbst und stellen Sie fest, woraus Sie gemacht sind. Mit einer inspirierenden »Identität« … lebt es sich deutlich einfacher.

3. *Halten Sie Wort.* Notieren Sie die (impliziten oder expliziten) Besonderheiten des Markenversprechens Ihres Unternehmens. Bewahren Sie sie stets griffbereit und in Ihrem Herzen auf.

4. *Bekennen Sie.* Machen Sie sich zum Evangelisten Ihrer Marke … dem Geschichtenerzähler, der die Gestaltungsmerkmale der Marke tief im Herzen trägt und ihre Geschichte in der Welt verbreitet.

5. *Reduzieren Sie.* Feilen Sie an Ihrer Markenbotschaft, bis sie mühelos in eine fahrstuhlgerechte 90-Sekunden-Vorstellung passt. (Im Ernst: Machen Sie den Test … notfalls mit einer Stoppuhr!)

6. *Verbalisieren Sie.* Listen Sie alle Verben – alle Handlungswörter – auf, die Ihnen zu Ihrer Marke einfallen. Sieben Sie die Liste anschließend, bis genau ein Verb übrig bleibt. Sagen Sie es. Seien Sie es.

7. *Setzen Sie sich in »Szene«.* Proben Sie Ihre Markenführerschaft mit der Sorgfalt und der Leidenschaft eines … echten Schauspielers. Schlüpfen Sie mit Haut und Haaren in Ihre Rolle!

8. *Beachten Sie die Gesetze.* Hören Sie auf Doug Hall und bewerten Sie Ihre Marke anhand seiner drei »Gesetze« der »Marketingphysik«. Wichtigster »Fachterminus«: DRAMATISCHER UNTERSCHIED.

9. *Lassen Sie sich erweichen.* Pflegen Sie eine Vorliebe für die sogenannte »weiche« Seite – Herz, Seele, Blut und Sehnen – Ihrer Identität. (Hinweis: Sie sind nicht Ihre Zahlen.)

10. *Gehen Sie in sich.* Verstehen Sie Markenbildung und Design als das, was sie sind. Nämlich: zwei Methoden, Leidenschaft im Unternehmen nutzbar zu machen. Zwei Seiten ein und derselben Übung in … Seelenbildung.

REGISTER

DANKSAGUNGEN

Um ein solches Buch auf die Beine zu stellen, bedarf es eines nicht zu kleinen virtuellen Dorfes. Einige seiner Bewohner will ich im Folgenden vorstellen:

Mit von der Partie waren auch diesmal wieder Michael Slind als Lektor und Jason Godfrey als Grafiker, die mir bereits geholfen hatten, meinem vorigen Buch (Re-Imagine!) den richtigen Schliff zu verpassen. Indem sie auf der Grundlage jenes Buches diese neue Reihe schufen, brachten sie das Kunststück zustande, das Projekt von innen heraus neu zu erfinden.

Stephanie Jackson von Dorling Kindersley drängte und lockte so lange, bis das Projekt tatsächlich zum Leben erwachte. Peter Luff, ebenfalls DK, gestaltete mit visuellem Fingerspitzengefühl ein »kleines« Büchlein mit großer Wirkung, und Dawn Henderson redigierte geschickt, kreativ und wirkungsvoll in allen Phasen des Projekts.

Eric Hansen waltete seines Amtes als »Projektmanager«, auch wenn diese Bezeichnung kaum erahnen lässt, mit welcher Beharrlichkeit und Gewandtheit er jedes meiner Publikationsabenteuer betreut. Cathy Mosca wachte wie immer aufmerksam darüber, dass der Autor beim Recherchieren und Formulieren keinen Unsinn verzapfte. Ihnen allen danke ich.

GENEHMIGUNGEN

Rodale Inc.: Synonyme für »Erfahrung« aus THE SYNONYM FINDER © 1978 Rodale Inc. Mit freundlicher Genehmigung von Rodale Inc., Emmaus, PA 18098. www.rodalestore.com

---

Für die Neugierigen ...
Quellenverweise zu den im Buch zitierten Geschichten und Daten stehen online bereit (www.tompeters.com/ essentials/notes.php). Ebenfalls im Internet finden Sie die vollständigen Fassungen der Interviews mit coolen Freunden (www.tompeters.com/ cool_friends/friends.php).

BILDNACHWEISE

Bildrecherche: Sarah Hopper
DK Bilderfundus: Richard Dabb

Die Bildwiedergaben in diesem Buch erfolgen mit freundlicher Genehmigung von:

10: Science Photo Library/David Mack; 14: akg-images/Erich Lessing; 17: Herman Miller Inc.; 18: S. C. Johnson; Gillette Group; Corbis/Tom Wagner; 34: Corbis/ Jon Sparks; 38 (von links nach rechts): Apple Corps Ltd., BMW; 39 (von oben nach unten): Gillette Group, Sony Corporation; 46: Science Photo Library/David Mack; 53: Corbis/Michael Prince; 56: Science Photo Library/Scott Camazine; 60: Corbis/George D. Lipp; 63: Corbis/Bettmann; 66: Science Photo Library/David Mack; 75: Corbis/Peter Turnley; 76: Corbis/Michael S. Yamashita; 79 (von oben nach unten): Starbucks, Guinness & Co. All rights reserved; 84f.: Chrysler; 87: Getty Images/Foodpix; 90: The Art Archive/Bill Manns; 100: Science Photo Library/David Mack; 104f.: Corbis/William Manning; 106f.: Corbis/William Manning; 108f. (von oben links im Uhrzeigersinn): Corbis/Wally McNamee, Corbis/Cardinale Stephane, Google, Virgin, Centrino, Corbis/ Nogues Alain; 110f. (von oben nach unten): Corbis/William Manning; 112f.: Corbis/ William Manning; 114 (von oben nach unten): Corbis/William Manning, Getty Images/John Lund; 116: Corbis/William Manning; 122: Science Photo Library/David Mack; 126: Republic of Tea; 129: Corbis/ Bettmann; 142: Corbis/Martin Hughes; 147 (von oben nach unten): Nadia Mackenzie/ Elizabeth Whiting Associates, Corbis/ Hulton-Deutsch Collection

Alle anderen Abbildungen
© Dorling Kindersley. Weitere Informationen finden Sie unter www.dkimages.com.

ÜBER DEN AUTOR

Der *Economist* nennt Tom Peters den Überguru. *Business Week* bezeichnet ihn als »der Wirtschaft besten Freund und schlimmsten Albtraum«. *Fortune* erhebt ihn zum Urguru des Managements und vergleicht ihn mit Ralph Waldo Emerson, Henry David Thoreau, Walt Whitman und H. L. Mencken. In einer ausführlichen Studie, die das Accenture Institute for Strategic Change im Jahr 2002 veröffentlichte, rangierte er unter den Top 50 der Wirtschaftsdenker an zweiter Stelle, hinter Michael Porter und vor Peter Drucker.

Im Jahr 2004 werteten die Verfasser von *Movers & Shakers – The Brains and Bravado Behind Business* die Beiträge von 100 Wirtschaftsdenkern aus Theorie und Praxis von Machiavelli über J. P. Morgan bis Jack Welch aus. Hier ist ihr Kommentar zu Tom: »Tom Peters hat vermutlich mehr als jeder andere dazu beigetragen, die Managementdebatte aus der Enge der Führungsetagen, Universitäten und Beratungsunternehmen in eine breite globale Öffentlichkeit zu tragen und zu einem Dauerthema von Medien und Managern jeder Couleur zu machen. Peter Drucker hat mehr geschrieben, und seine Ideen haben den Test der Zeit schon länger bestanden, aber es ist der Berater, Autor, Kolumnist, Redner und Darbietungskünstler Peters, der das neue Managementdenken mit seiner Energie, seinem Stil und seinen Ideen geprägt hat.«

Sein erstes Buch, *In Search of Excellence* (dt.: *Auf der Suche nach Spitzenleistungen*), verfasste Tom gemeinsam mit Robert J. Waterman im Jahr 1982. National Public Radio erkor es 1999 zu »einem der drei wichtigsten Wirtschaftsbücher des Jahrhunderts«, und aus einer Umfrage von Bloomsbury Publishing aus dem Jahr 2002 ging es als »das beste Wirtschaftsbuch aller Zeiten« hervor. In der Folgezeit veröffentlichte Tom eine Reihe internationaler Bestseller: *A Passion for Excellence* (1985, mit Nancy Austin, dt.: *Leistung aus Leidenschaft*), *Thriving on Chaos* (1987, dt.: *Kreatives Chaos*), *Liberation Management* (1992, dt.: *Jenseits der Hierarchien*), *The Tom Peters Seminar – Crazy Times Call for Crazy Organizations* (1993, dt.: *Das Tom-Peters-Seminar*), *The Pursuit of WOW!* (1994), *The Circle of Innovation – You Can't Shrink Your Way to Greatness* (1997, dt.: *Der Innovationskreis*) und eine Buchreihe über die Neuerfindung der Arbeit, *The Brand You50, The Project50* und *The Professional Service Firm50* (1999, dt.: *Top-50-Selbstmanagement, Top-50-Projektmanagement* und *Top-50-Servicemanagement*). Im Jahr 2003 brachte Tom gemeinsam mit dem Verlag Dorling Kindersley sein Buch *Re-imagine! Business Excellence in a Disruptive Age* (dt.: *Re-imagine! Spitzenleistungen in chaotischen Zeiten*) heraus. Dieses Buch, das die Wirtschaft auf dem Wege der expressiven Darstellung ihrer zentralen Ideen neu erfindet, avancierte augenblicklich zum internationalen Top-Bestseller.

Tom, der 1942 in Baltimore geboren wurde und von 1974 bis 2000 in Nordkalifornien wohnte, lebt heute mit seiner Frau Susan Sargent auf einer 650 Hektar großen Farm in Vermont. Er erwarb seinen Master of Civil Engineering an der Cornell University und seinen Master of Business Administration an der Stanford University. Verschiedene Institutionen, darunter die Moskauer State University of Management (2004), verliehen ihm die Ehrendoktorwürde. Nach seinem Dienst bei der US-Marine von 1966 bis 1970 absolvierte er zwei Vietnameinsätze (in einer Marinespezialeinheit) sowie ein Gastspiel im Pentagon. Im Weißen Haus diente er von 1973 bis 1974 als Drogenberater. Von 1974 bis 1982 war er für McKinsey & Co. tätig, seit 1979 als Partner und Leiter des Bereichs Organisationseffektivität. Tom ist Mitglied der International Academy of Management, der World Productivity Association, der International Customer Service Association und der Society for Quality and Participation. Heute gibt er jährlich rund 75 größere Seminare (die Hälfte davon außerhalb der Vereinigten Staaten) und nimmt an zahlreichen weiteren Lernveranstaltungen vor Ort oder im Internet teil.

DAS ESSENTIALS-MANIFEST

Sie sagen ...   Ich sage ...

Sie sagen ...	Ich sage ...
»Veränderung« tut not.	Wir brauchen die REVOLUTION. SOFORT.
Toms Sprache ist extrem.	Die Zeiten sind extrem.
Tom ist extrem.	Ich bin Realist.
Tom fordert zu viel.	»Sie« geben sich zu schnell zufrieden.
»Marke Ich« ist nichts für jeden.	Die Alternative ist Arbeitslosigkeit.
Tief durchatmen. Ruhe bewahren.	Sagen Sie das WalMart. Oder China. Oder Indien. Oder Dell. Oder Microsoft.
Was spricht gegen ein »gutes Produkt«?	WalMart oder China schicken sich an, Ihnen die Butter vom Brot zu kratzen.
Das Web ist ein »nützliches Werkzeug«.	Mit dem Web ist alles anders. Ab heute.
Wir brauchen eine »Initiative«.	Wir brauchen einen Traum. Und Träumer.
Großartiges Design ist prima.	Großartiges Design ist das Mindeste.
Tom übertreibt »das mit den Frauen«.	Der geringe Frauenanteil in Führungspositionen ist Verschwendung und Schande.
Wir brauchen ein »Projekt« zur Erkundung »neuer Märkte«.	Wir brauchen eine totale strategische Neuausrichtung zwecks Erschließung der Frauen- und Seniorenmärkte.
»WOW« ist »typisch Tom«.	»WOW« ist eine Überlebensvoraussetzung.
Wir mögen Leute, die eisern behaupten: »Das kann ich besser.«	Ich feiere Leute, die mit einem irren Leuchten in den Augen und einem Kichern sagen: »Ich stelle die Welt auf den Kopf!«
Wir brauchen mehr Tempo.	Stülpen wir den Unternehmen die Eingeweide um, bis aus der wahnhaften Eile ein Sakrament wird.
Wir suchen Jobbewerber mit makellosem Lebenslauf.	Die »Makel« stehen für Talent.
Wir legen Wert auf »harmonische Teamarbeit«.	Geben Sie mir eine balgende Horde kreativer Spitzentalente.
Wir wollen »glückliche« Kunden.	Geben Sie mir provozierende Kunden, die mich mit Vollgas auf die Innovationsautobahn treiben.
Wir wollen mit den »Besten« zusammenarbeiten.	Ich schließe mich mit den »Coolsten« meines Schlages zusammen.
Friede, Bruder.	Trample auf meinen Gefühlen herum. Vernichte mein Selbstwertgefühl. RETTE MEINEN JOB.
Kombinieren und imitieren.	Erzeugen und revolutionieren.
Verbessern und bewahren.	ZERSTÖREN und NEU ERFINDEN!